Über dieses Buch

Peter Handkes zweiter Roman ist eine Mordgeschichte. Er hält sich an sämtliche Regeln dieses Genres und ist doch alles andere als ein herkömmlicher ›Krimi‹. Dieser Roman ist eine Synthese aller möglichen Mordgeschichten. Er zeigt die scheinbare Ordnung vor dem Mord, die durch den Mord ausgelöste Unordnung. Befragungen, Verfolgung, die Entlarvung des Täters führen schließlich zur Wiederherstellung der Ordnung, die darin besteht, daß der Mord in das sogenannte normale Leben integriert wird: »Die Kinder spielen schon den Mord«. Der Held dieser Geschichte ist der ›Hausierer‹. Er beobachtet alles, er registriert noch die kleinsten Ereignisse, er ist der Zeuge, der überall dabei ist. Auch der Leser ist Zeuge, »er wird in die Suche nach der Wahrheit mit einbezogen. Es wird ihm einsichtig gemacht, daß er, wann immer er glaubt, es mit realer Welt, mit Tatsachen zu tun zu haben, allein ist mit Hervorbringungen seines Bewußtseins; daß er es ist, der fragmentarische Vorstellungen zu einer möglichen Geschichte ergänzt.«

Zürcher Woche

Der Autor

Peter Handke, geboren am 6. Dezember 1942 in Griffen, Kärnten, studierte von 1961 bis 1965 Rechtswissenschaft in Graz. Er veröffentlichte zahlreiche Romane, Erzählungen, Prosatexte, Gedichte, Theaterstücke, Hörspiele und Aufsätze. Seine wichtigsten Werke: ›Die Hornissen‹, ›Selbstbezichtigung‹, ›Weissagungen‹ (1966); ›Der Hausierer‹, ›Publikumsbeschimpfung‹, ›Begrüßung des Aufsichtsrats‹, ›Hilferufe‹, ›Kaspar‹ (1967); ›Die Innenwelt der Außenwelt der Innenwelt‹, ›Prosa, Gedichte, Theaterstücke, Hörspiele, Aufsätze‹, ›Das Mündel will Vormund sein‹ (1969); ›Die Angst des Tormanns beim Elfmeter‹, ›Quodlibet‹ (1970); ›Chronik der laufenden Ereignisse‹, ›Der Ritt über den Bodensee‹ (1971); ›Der kurze Brief zum langen Abschied‹, ›Wunschloses Unglück‹, ›Ich bin ein Bewohner des Elfenbeinturms‹ (1972); ›Die Unvernünftigen sterben aus‹, ›Als das Wünschen noch geholfen hat‹ (1974).

Peter Handke

Der Hausierer

Roman

Fischer
Taschenbuch
Verlag

Fischer Taschenbuch Verlag
1.–25. Tausend: Mai 1970
26.–35. Tausend: Februar 1971
36.–40. Tausend: Oktober 1972
41.–48. Tausend: März 1973
49.–55. Tausend: Februar 1974
56.–63. Tausend: Januar 1975
Ungekürzte Ausgabe

Umschlagentwurf: Jan Buchholz/Reni Hinsch

Fischer Taschenbuch Verlag GmbH, Frankfurt am Main
Lizenzausgabe mit freundlicher Genehmigung
des Suhrkamp Verlages, Frankfurt am Main

Gesamtherstellung: Hanseatische Druckanstalt GmbH, Hamburg
Printed in Germany
ISBN 3 436 11096 0

Es gibt nichts, was leerer aussieht
als ein leeres Schwimmbecken.
Raymond Chandler

1 Die Ordnung vor der ersten Unordnung

Die Mordgeschichte beginnt, wie alle Geschichten, als die Fortsetzung einer andern Geschichte. Die Personen und Dinge, die beschrieben werden, sind schon bekannt aus der andern Geschichte, die nicht geschrieben, sondern nur stillschweigend vorausgesetzt ist. Wie jede Geschichte gibt sich auch die Mordgeschichte als die Fortsetzung einer nichtvorhandenen Geschichte.

Das zeigt sich daran, daß Namen für Personen und Dinge auf einmal mit einem Artikel versehen und dadurch die Namen von einmaligen Personen und Dingen einer Geschichte werden. Ein *Mann tritt auf* die *Straße.* Der *Zigarettenstummel rollt über* den *Gehsteig.*

Der Anfang der Geschichte ist also kein Anfang, sondern eine Fortsetzung. Er berücksichtigt in den Artikeln die Zeit, die vorher war. Er macht durch die Artikel die Wörter zu Bezeichnungen von besonderen Gegenständen. Er ist nur insofern ein Anfang, als durch ihn die allgemeine Zeit zur Zeit einer besonderen Geschichte wird. Die Artikel geben den von ihnen bestimmten Dingen und Personen eine Vergangenheit. Indem sie Dinge und Personen als besondere bestimmen und sie dadurch unter anderen, nicht bestimmten, vereinzeln, machen sie aus Wörtern eine besondere Geschichte.

Wie alle andern Geschichten beginnt auch die Mordgeschichte mit den bestimmenden Artikeln. Im Gegensatz aber zu den andern Geschichten spielt *sie mit den nun bestimmten Dingen und Personen; denn sie bestimmt ihre Gegenstände so, daß deren Verhältnis zueinander unbekannt und rätselhaft bleiben muß. Die Mordgeschichte verschweigt die wahre Beziehung der beschriebenen Gegenstände zueinander. Sie besteht in einem Spiel mit möglichen Beziehungen der Gegenstände zueinander. Sie besteht in einem Versteckspiel der Sätze. Die Mordgeschichte beschreibt von Anfang an jeden Gegenstand für sich allein.*

Ihr Standpunkt der Beschreibung ist zu diesem Zweck der einer Person, die die Verhältnisse nicht kennt, einer Person, die jedesmal einen Schritt zu spät kommt, wenn Beziehungen aufgedeckt werden. Ihr Standpunkt der Beschreibung ist der eines Fremden.

Die Geschichte geht von einer Person aus, die immer nur dazukommt und nie dazugehört. Der Dazukommende sieht die Dinge an dem Ort der Handlung zum ersten Mal. Er muß sie alle erst wahrnehmen. Er,

weil von ihm aus beschrieben wird, kann weder der künftige Mörder noch der zu Ermordende sein.
In der Regel ist er in einer Bewegung, die durch die Geschichte, in die er mit dem ersten Satz gerät, abgelenkt wird. Er bewegt sich von einem Ort zu dem Ort, an dem es geschehen wird. Er kommt dazu und bleibt, bildlich, stehen.
Das Treiben ringsherum muß ihn derart verwundern, daß die Geschichte entsteht: er wird aufmerksam. Er sieht viel, kennt aber niemanden. Er unterscheidet sich von anderen schon durch äußere Merkmale. Sein Gehaben, seine Blicke, sein Auftreten, sein Gang müssen so sein, daß sie geeignet sind, später Verdacht zu erregen. Er muß auffallen, um eine Beschreibung seiner selbst zu rechtfertigen. In der Regel beschreibt er sich selber, wie er sich etwa in einem Spiegel sieht.
Er trägt staubige Schuhe, wenn alle anderen saubere Schuhe tragen. Seine Haare sind zerzaust, wenn alle anderen wohlfrisiert sind. Seine Blicke verraten nichts Gutes, wenn alle anderen Blicke offen sind. Er hinkt, wenn alle anderen vor Munterkeit hüpfen.
Er kommt an einen Ort, an dem jedes Ding oder jede Person ein Gegensatz zu seiner eigenen Erscheinung ist.
Er ist fremd, aber nicht im guten Sinn. Er ist ein heruntergekommener Fremder.
Wenn er redet, redet er nur in der Gegenwart und von der Gegenwart, etwa, indem er etwas zu trinken bestellt oder indem er grüßt. Sein Sprechen ist nur ein Teil seiner Vorwärtsbewegungen.
Sichtlich will er etwas. Er gibt sich wie ein Hausierer. Vielleicht ist er ein Hausierer.
Wenn die Geschichte beginnt, zeigt sich dem Dazukommenden alles, was sich ihm zeigt, in der schönsten und besten Ordnung. Die Ordnung ist so auffallend, daß sie aufgezählt wird. Sie ist die peinlichste Ordnung, die möglich ist.
Es geschieht so wenig Außerordentliches, daß die Rechtfertigung der Geschichte überhaupt nur möglich erscheint dadurch, daß gewiß ist, daß die Ordnung nur deswegen so peinlich beschrieben wird, weil sie im Gegensatz steht zu der Unordnung, die durch den erwarteten Mord geschaffen werden muß.
Die Ordnung wird deswegen vorgeführt, weil gewiß ist: es wird etwas geschehen, etwas wird sich ändern oder geändert werden. Es ist eine Ordnung, die nicht lange ertragen werden kann. Die Ordnung besteht aus dem angehaltenen Atem vor einem Schrei.
Jede besonders beschriebene Ordnung an einem Ding oder an einer Person

ist auch besonders verdächtig. Die Beschreibung der Ordentlichkeit eines Hinterkopfes, eines Halses oder einer Fensterscheibe läßt für die künftige Ordnung dieser beschriebenen Gegenstände fürchten. Die Peinlichkeit der jetzt beschriebenen Ordnung steht in der Spannung zu der Peinlichkeit der zu erwartenden Unordnung.

Die gegenwärtige Ordnung erscheint dem Dazukommenden sogar verdeutlicht, indem sie sich als besondere Form *einer Ordnung zeigt. Sie ist eine geformte Ordnung, die einem Fremden sofort als geregelt erscheint.*

Die Ordnung zeigt sich ihm an besonderen geformten Verhaltensweisen von Personen, an besonderen geformten Handlungen mit Dingen. Die besondere Ordnung zeigt sich dem Dazukommenden in der Form eines Zeremoniells.

Er kommt zu einer Feierstunde dazu. Er kommt zu Spielen dazu. Als er an den Ort kommt, findet ein Fest statt. Als er an den Ort kommt, findet ein Jahrmarkt statt. Als er an den Ort kommt, findet ein Umzug statt.

Die besondere Ordnung äußert sich in Verbeugungen, in einem Tanz, in einem Kniefall, in einem paarweisen Schreiten, in einem gemeinsamen Glasheben, in der Zeremonie einer Mahlzeit, in einem Spiel. Die besondere Ordnung, die durch den Mord gestört werden wird, sieht der Dazukommende am Nacken dessen, der sich gerade verneigt, oder an der Schläfe, an die sich gerade die grüßende Hand hebt, oder an der leichtfüßigen Bewegung der Tanzenden, oder an den Bewegungen der sich versteckenden Kinder im Versteckspiel, oder an der Brust, die sich beim Singen auf und nieder bewegt, oder an dem Mund, den der Tischredner öffnet, oder an dem noch sauberen Muster des Teppichs oder an dem Weiß einer frisch gestärkten Hemdbrust oder an den noch geradefallenden Falten eines Vorhangs oder an dem Duft von Duftstoffen. Es ist ein Fest der Ordnung.

Die Handelnden sind so sorglos, daß sie spielen wollen.

Einer von ihnen wird auf einmal besonders genau beschrieben. Dann wird einer noch genauer beschrieben. Die Personen der Handlung, bis auf die eine, fangen zu spielen an. Alles ist auf seinem Platz. Die Ordnung spitzt sich zu. Sie ist jetzt vollendeter nicht denkbar. In der Mordgeschichte, vor dem Mord, erscheint sie geradezu als Unordnung.

Der Dazugekommene schaut:

Der Hausierer tritt auf das flatternde Papier.
Er fragt nach dem Weg, vergißt dann aber, auf die Antwort zu achten, aus Verwunderung über die Gesten, mit denen ihm der Gefragte den Weg zeigt. Die Fingernägel graben sich in die Handflächen. Es kann nichts geschehen. Er hat Zeit, sich zu wundern. An einem solchen Tag denkt niemand an den Tod. Aus dem Schotterhäuschen schaut der Stiel einer Schaufel. Die Straße ist nicht leer. Der Hausierer erblickt einen Stein von der Größe einer Kinderfaust. Die Kopfhaut zieht sich zusammen. Niemand wischt sich mit dem Taschentuch schnell über das Gesicht. Der Gehsteig liegt ziemlich hoch über der Straße. Der Mantel reicht dem Hausierer bis zu den Knöcheln. Aus dem Spalt unter der Ladentür dringt Seifenschaum. Die Flasche schwimmt fast aufrecht im Wasser. Fenster wechseln mit Türen ab.
Er sieht die Leute deutlicher als sonst. Der Fingernagel kratzt vom Stoff über die Knöpfe. Der Hausierer bewegt die Beine wie selbstverständlich. Die Sitzlehnen im Auto bilden eine mustergültige Linie. Die Straße ist vor kurzem gespritzt worden. Zu seiner Überraschung sieht er die eigenen Knie vor sich. Die Fenster blinken. Ungläubig schüttelt er den Kopf. Nur ein Schuh glänzt, der andere ist noch staubig. Die Gedanken fallen über ihn her. Ein Nagel hat sich beim Einschlagen verbogen!
Der Hausierer klopft mit einem Bleistift gegen die Mauer. Ganz nutzlos, aber unfähig, anderes zu tun, beobachtet er die alte Frau, die auf einem Hocker vor der Haustür sitzt.
Er geht zwischen den Häusern anders als auf dem freien Land. Die Hand, die den Koffer getragen hat, zittert. Die Tür der Telefonzelle ist geschlossen. Es ist ein schöner Morgen. Nachdem er den ersten Schlag der Glocke gehört hat, wartet er atemlos auf den zweiten. Die Schuhspitzen sind aufwärts gebogen!
Er schaut weder nach links noch nach rechts. Die Hände, die auf dem Lenkrad liegen, stecken in ledernen Handschuhen. Er kann sich nicht vorstellen, daß jetzt jemand schreien würde. Die Gegenstände beunruhigen ihn nicht, aber sie lenken ihn auch nicht ab. Das Erdreich, soweit er es sehen kann, ist unversehrt. Er hat nur persönliche Dinge bei sich. Seine Kleidung ist eher für die Dunkelheit geeignet als für den hellen Tag. Die Haare sind zerzaust, obwohl hier Windstille herrscht. Die Entgegenkommenden schauen an ihm auf und nieder. Als das Rinnsal jetzt über die senkrechte Stelle hinabrinnt, wird es dünner.

Der Hausierer horcht auf. Alle Hausecken sind abgerundet. Plötzlich, die Straße vor sich, erfaßt ihn ein Ekel vor jeder Entfernung. Vielleicht hat es dem, der die Glocke betätigt, das Seil aus der Hand gerissen. Warum muß gerade jetzt wieder das Schuhband aufgehen? Eine Plane wird über das Auto gezogen. Es gibt unzählige Richtungen. Die Fingernägel jucken. Zwei alte Frauen sägen einen dicken Stamm entzwei.
Was er jetzt braucht, ist eine Ablenkung. Der auf dem Boden liegende Schlauch wird plötzlich straff. Die Taschen des Mantels sind so tief und breit, daß er die Hände darin nicht fühlen kann. Er torkelt absichtlich. Die Hauswände tragen keinerlei Zeichen oder Zeichnungen. Alles ist auf seinem Platz. Der Hausierer lächelt boshaft. Eine dicke Zeitung ist mit einer Klammer an den Verkaufsstand geheftet. Das Rad lehnt ordentlich an der Mauer. Er gähnt mitten im Gehen. Die Bilder verschieben sich, sooft er einatmet. Der Körper weist alles ab, was die Augen sehen. Die Rundhölzer donnern vom Lastwagen. Er weiß nicht, wo er die Hand lassen soll. Die Frau wischt mit dem Tuch die Türklinke ab. Der erste Knall der Fehlzündung erschreckt ihn. Jedem Wort, das er hört, folgt ein andres.
Er ist so weit gegangen, daß sich beide Schuhbänder gelöst haben. Der Telefonhörer zeigt noch die Schweißspuren einer Hand. Er muß den Gedanken so oft wiederholen, bis er ihn abgetötet hat.
Er atmet aus und ein.
Er beobachtet, wie die Ordnung ringsum zum Spiel wird. Das Klirren der Gläser ist kein gefährliches Geräusch. Sooft er angesprochen wird, antwortet er nur mit Gesten und Mienen. Das Lachen der Frau fügt sich ein in alle anderen Laute. Obwohl der Hausierer meint, daß er hier nie jemanden kennen wird, versucht er sich die Gesichter zu merken. Die Straße ist hier und da rußgeschwärzt. Die Finger, die er geballt glaubte, haben sich gelöst. Vor der Tür steht ein einzelner Stiefel mit umgeknicktem Schaft. Der Mülleimer sieht leer aus. Die Münze ist noch warm.
Daß er so heftig im Glas rührt, ist nur ein Eingeständnis seiner Tatenlosigkeit. Vor Unbehagen weisen die Schuhe in verschiedene Richtungen. Alle haben sich schon an ihre Bewegungen gewöhnt. Die Stille, die entsteht, ist nur die Stille vor der erwarteten Antwort. Sie nehmen schwer verdauliche Speisen zu sich. Die Tür läßt sich ohne Schwierigkeit öffnen. Die Hand, die das Tablett hält, steht hoch über dem Kopf. Der Schaum staut sich vor einem

Hindernis. Auf einmal wird ihm das Denken angenehm. Es ist der Knall eines Pfropfens!
Er schüttelt unter dem Tisch die Schuhe aus. »Wenn man Kanonenkugeln über das Wasser feuert, tauchen die Ertrunkenen auf.« Er freut sich über die Ruhe. Die Frau streicht mit einem Holz den Schaum vom Glas.
Sein Kragen ist nicht mehr ganz sauber.
Die Innenfläche der Hand ist fleckig.
Der Schrei ist nur jener Schrei vor dem Lachen, das auf den Witz folgt.
Obwohl es nicht heiß ist, beengen ihn die Kleidungsstücke. Die Hausseite hat nur falsche Fenster. Die Straße ist sehr belebt. Der Schweißgeruch zeugt von Gesundheit. Ihr Daumen lüftet die Haare vom Ohr. Er kann sich nicht vorstellen, daß ein Ruf am Tag ein Hilferuf ist. Nur die eine Reibfläche der Streichholzschachtel ist angerissen. Die Worte, die er hört, beziehen sich auf die üblichen Verhältnisse. Die Zitronenscheibe torkelt langsam auf den Boden des Glases. Die Frau stellt den Besen wieder an seinen Platz. Er räuspert sich, ohne dann etwas zu sagen. In dieser fremden Umgebung fallen ihm nicht einmal die *Namen* der Gegenstände ein. Als sein Gegenüber lachend den Kopf zurückwirft, bietet er ihm offen die Kehle dar.
Aus dem Schotterhäuschen schaut der Zipfel eines Zeitungsblattes!
Der Hausierer lehnt sich zurück und kreuzt die Arme sorglos übereinander. Wie in der Trunkenheit sieht er alles weit von sich entfernt. Durch all das Stimmengewirr in der Nähe hört er, wie still es sonst ist. Das Spiegelbild in der Scheibe bietet ihm keine Überraschung. Zwei Hände legen sich links und rechts auf die fremde Schulter, bleiben aber nicht still dort liegen. Der Draht wimmelt von leeren Wäscheklammern. Der Hausierer bemerkt aus den Augenwinkeln, wie man ihn aus den Augenwinkeln beobachtet. Der Greifer im Musikautomaten wandert auf und nieder, ohne bis jetzt eine Platte zu fassen. Er stellt den Koffer mit einer einzigen Bewegung nieder. Als er an der Kellerluke vorbeigeht, streift ein kalter Luftzug seine Finger. Das Licht ist so grell, daß es fast keine Schatten wirft. Es kommt ihm ungehörig vor, daß er blinzelt, während diese starren Augen ihn anschauen. Der Nebel hat das Haar gekraust. Die Kleider sind frisch gebügelt. Er möchte jetzt von niemandem eine Mitteilung. Er schnuppert den Stärke-

geruch. Seine Trägheit ist so groß, daß er die Blicke nur bewegen kann, wenn auch der Körper sich bewegt. An dem gegenüberliegenden Haus sind alle Rolläden heruntergelassen.
Die Geräusche, die er hört, gehören zu dem, was er sieht. Sind die Häuser hier überhaupt unterkellert? Von seinem Platz aus kann er die ganze Straße übersehen. Der Fußboden ist frisch eingelassen worden. Der Hausierer geht mit erhobenem Kinn wie einer, der zu etwas dazukommt. Die Frau breitet ein sauberes Tischtuch aus, so daß er wieder die Arme heben muß. Als der Wind aufhört, ist ihm, als werde er plötzlich fallengelassen.
Er wird sich hier vielleicht nützlich machen können.
Die Gedanken kommen ihm nicht mehr von selber, er muß sie erst mit aller Mühe herbeidenken, so spürbar vergeht die Zeit. Zufällig wirft er einen Blick auf die Uhr. Er sieht, wie zwischen den Lippen die Spitze der Zunge hervorschaut. Eine Speckschwarte liegt in der Pfütze.
Das Blitzlicht trifft die Gesellschaft mitten im Atemanhalten. Der Mann zieht die Flamme in die Zigarette. Die Gegenstände, in der Anordnung, wie sie dastehen, zeigen die allgemeine Ähnlichkeit der Meinungen. Der Hausierer reicht den Geldschein zusammengefaltet hinüber. Der Luftballon ist der Zigarette verlockend nahe. Der Mann reißt lachend den Mund auf.
Dort ahmen die Kinder nach, was die Erwachsenen spielen. Der Bote schwenkt einen Brief über dem Kopf. Der Hausierer tastet unter die Achsel. Er kehrt nicht mehr so zum Tisch zurück, wie er zum Fenster gegangen ist.
Es kränkt sie, daß er ihre Verachtung nicht beachtet. Eine der Schuhspitzen ist dunkler als die andre. Der Goldzahn blinkt. Es ist nicht nur die schon lange Zeit gleichförmige Bewegung, die den sitzenden Hausierer jetzt unruhig macht. Darauf gefaßt, ein trokkenes Glas anzufassen, faßt er ein nasses an. Zwei Männer, zueinandergebeugt, führen eine leise Unterhaltung. Der Hausierer zählt vor sich nicht alles auf, was er wahrnimmt. Ein Mann hebt den Arm, um sich bemerkbar zu machen. Es sind nur sorglose Gesichter zu sehen. Er sucht im stillen nach Wörtern, um sich jetzt nicht bewegen zu müssen. Er hat oft in Schotterhäuschen übernachtet. Der Mann hat einen ausladenden Hinterkopf!
Der Hausierer ist froh, daß er kein Wort verstehen muß. Es entsteht das Geräusch, das entsteht, wenn das Messer, das die Frucht

zerteilt, plötzlich auf den Kern trifft. Als der Mann sich verbeugt, bietet er seinen Nacken dar. Die Asche an der Zigarette krümmt sich schon. Mit der Zunahme der Ausgelassenheit spielt die Gesellschaft die Wirklichkeit nach.
Der Hausierer bemerkt nichts Neues. Die Handlinien sind feucht und vom Schmutz schwarz gerändert. Eine Semmel schaut aus dem Einkaufsnetz. Während er spricht, sprechen die andern leiser, um ihn zu verstehen. In seinen Achselhöhlen entsteht ein Kribbeln. Sie wenden sehr langsam den Kopf nach ihm.
Der Hausierer steht in der Tür mit dem freundlichsten Lächeln der Welt.
Als die Lippen sich von dem Gegenstand lösen, hört er ein Schmatzen. Jemand lacht höher als die andern. Sie wählen ein Spiel, das ihnen erlaubt zu *spielen*, worüber sie in der Wirklichkeit nicht zu *reden* wagen. Der Hausierer hört das Papier zittern. Ein Muskel zuckt an seinem Bein. Der Schaum knistert im Ausguß. Das frisch gestärkte Hemd stößt die Flüssigkeit ab. Die Lippen sind so trokken, daß auf dem Glas kein Abdruck entsteht. Während er die Flamme an die Zigarette hält, mustert er das Gesicht des Gegenübers. Er schätzt die Abstände zwischen den Personen. Der Lampenschirm hängt bewegungslos am Draht. Wenn eine *Fliege* liegt, so sagt ihr Liegen etwas Eindeutiges.
Die Flecken auf der Straße schrumpfen sichtbar zusammen. Die Schuhe haben keine Stahlkappen. Es ist Bratenduft, was der Hausierer riecht. Die Stiefel sind bis zum Schaft mit Kot überkrustet! Die Teller hängen in gleichmäßigen Abständen voneinander an der Wand. Wie kommt der Maiskolben in den Rinnstein? Der Mann ist unauffällig gekleidet.
Der Hausierer überzeugt sich, daß alle Gegenstände sich noch an den alten Stellen befinden. Jemand in der Menge wirft die Arme empor, aber im Jubel. Er hat zu lange nicht geblinzelt, so daß er gerade den Augenblick versäumt, in dem die Flüssigkeit aus der Flasche fließt. Die Schlagzeile zeigt Namen, die ihm fremd sind.
Man versucht ihn dazu zu bringen, daß er etwas zum Kaufen anbietet, damit man ablehnen kann. Das alte Weib steht schon lange vor dem Rinnstein, außerstande, von der Straße hinauf auf den Gehsteig zu steigen. Der Hausierer sieht nur die Tischplatte vor sich und die Hände darauf. *Obwohl alles abläuft wie vorhergesehen, muß es irgendwo schon eine Unregelmäßigkeit gegeben haben.* Mit

einem Geldstück klopft er an die Glasscheibe. Sein unbeweglicher Kopf hält alles, was er sieht, im Gleichgewicht.
Die Stimmen der Spieler werden zu den Stimmen von Verschwörern. Er hört kein Geräusch, aber er spürt eine winzige Bewegung der Luft über sich. Niemand hat ein Fleckputzmittel bei der Hand. Im nächsten Augenblick hätte das Rinnsal ihre hochhackigen Schuhe erreicht. Bei diesem Lärm werden alle Geräusche ununterscheidbar.
Er setzt sich aufrecht.
Das Klirren muß nicht etwa von einem ruckhaft aufgelegten Telefonhörer stammen.
Niemand beugt sich vornüber, um das Schuhband zuzubinden. Dem Hausierer fällt eine Warze am ersten Glied des Daumens auf. Obwohl es im Raum schon sehr heiß ist, dampft die Flüssigkeit, die hereingetragen wird. Er ist fast sicher, daß es eine zufällige Berührung gewesen ist. Er greift nach der Klinke, aber er faßt sie nicht an. Seine Bewegungslosigkeit ist so vollkommen, daß die Wörter ganz ungestört sind. Man hat ein Spiel gewählt, das die Spieler vereinzelt, entweder ein Versteckspiel oder ein Spiel im Dunkeln. Der Gemüsewagen sieht harmlos aus.
Der Mann hat einen stechenden Blick.
Am anderen Ende meldet sich niemand. Der Hausierer hört das Klappern von leeren Konservendosen. Die Frau legt die Hände in den Nacken. Wer in der Gesellschaft trägt Handschuhe?
In diesem Augenblick kommt ein untersetzter, breitschultriger Mann dazu. »Unrechtmäßig erworbene Geldscheine sind zusammengerollt und zerdrückt.« Der Hausierer zieht die Zeit hin, bevor er den Preis nennt. Ein kantiger Gegenstand buchtet sich in der Decke. Schwere Steine werden auf die Plane gelegt. Die Stühle sind mit Leisten verbunden. Jemand murmelt etwas und geht weiter.
Beide wollen sich zufällig am selben Ort verstecken und streiten, wer von beiden sich ein andres Versteck suchen soll, bis schließlich die Zeit um ist und beide vor dem, der sie sucht, voll Scham sichtbar dastehen.
Der Hausierer tut eine Bewegung, um sich zu prüfen, ob er diese Bewegung gerade schon getan und sie nur inzwischen vergessen hat.
Die Leitung ist nicht frei!
Die niedrige Stirn des Mannes verrät nichts Gutes.

Der Hausierer betrachtet die Spalten in den Rolläden. Es beruhigt ihn, daß einige bewegliche Gegenstände in der Reichweite seiner Hand stehen. Der Knoten der Krawatte ist ein wenig zu dick. Der erste, der vom Spiel zurückkehrt, wischt sich die Finger am Rock ab. Der Hausierer hält plötzlich zwei Teile der Schnur in der Hand. Man entdeckt, daß ein Gegenstand, der gerade noch auf seinem Platz war, jetzt nicht mehr auf seinem Platz ist. Die Frau verzieht bei einem Gedanken das Gesicht. Er hält die Zigarette so, daß auch der Markenaufdruck verbrennen muß. Jede Bewegung, die er sieht, ist seinen Augen angenehm. Das ist ein Überraschungsschrei! Aufmerksam schaut er in das nackte Ohr der Katze.
Die Spieler wählen eine Haltung, die von vornherein das Liegen verlangt. Die eine Faust des Hausierers ist größer als die andre. Er beobachtet, daß die Frau keine Bewegung zu Ende führt, sondern jede Bewegung mit der folgenden überspielt. Die Handtasche schnappt zu.
Er reibt mit dem Finger quer über die trockenen Zähne. Behaglich lehnt er sich gegen die Wand zurück, aber die Wand ist so weit weg von ihm, daß mitten in der Bewegung die Behaglichkeit nachläßt.
Den vermißten Gegenstand kann auch ein Kind genommen haben!
Während sie spielen, werden auch ihre Worte zum Spiel, so daß er ihnen nichts mehr entnehmen kann. Die Bewegungen schließen sich alle zu Kreisen. Es kann keinen Zwischenfall geben. Der Hausierer ist der einzige Außenstehende. Man stellt die anderen Gegenstände so auf, daß die Lücke verdeckt wird. Der Scheitel des Mannes ist tadellos geradegezogen.
Einer nach dem andern kehren die Spieler zurück und werden zu Zuschauern. Das Kind hält die Hand auf dem Rücken, aber nicht versteckt. Die Witzzeichnung zeigt den vorletzten Augenblick, den vor dem Aufprall. Jeder Laut könnte in dieser Umgebung sofort eingeordnet werden. Der Hausierer entdeckt weiße Flecken auf seinen Fingernägeln. Seine Blicke treffen überall auf Widerstand.
Als sich jetzt auch noch die Tür schließt, wird die Ordnung zum Hohn.
Die Straße ist übersichtlich. *Das Wort »plötzlich« kann nicht mehr angewendet werden*. Der Hausierer atmet endlich gleichmäßig. Alle Bewegungen, die er sieht, verlaufen waagrecht.

Er nimmt eine ungestörte Wirklichkeit wahr.
Die Gedanken gehorchen dem, was er bemerkt.
Nirgendswo gibt es eine Lücke.
Die Frau betrachtet ihre sorgfältig manikürten Hände. Die Katze, die vorbeiläuft, hinterläßt feuchte Spuren auf dem Boden, obwohl weit und breit keine Flüssigkeit zu sehen ist.

2 Die erste Unordnung

Die Beschreibung der Ordnung dient nur der Beschreibung der Unordnung, die durch den ersten Mord entsteht. Schon in der Beschreibung der Ordnung stehen Sätze, die sich zwar scheinbar in die anderen Sätze einordnen, aber nachher ebensogut zu der künftigen Unordnung passen.
Die Ordnung wird zum Zerreißen gespannt. Alle Gegenstände sind in einer derartigen Alltäglichkeit beschrieben, daß von selber die Frage entstehen muß, wie lange wohl die Alltäglichkeit noch anhalten mag. Die alltägliche Wirklichkeit ist so vollkommen, daß es zu einem Knall kommen muß.
Der Mord nun geschieht so, daß er einen Abbruch dieser Wirklichkeit bewirkt. Er geschieht zu einer Zeit und an einem Ort, da alles seinen Lauf zu gehen schien.
Damit die Wirkung des Abbruchs größer ist, maskiert sich die Tat nicht als natürlicher Vorgang, sie ist im gleichen Augenblick, in dem sie geschieht, als unnatürlich, gewaltsam, von außen kommend, vorsätzlich erkennbar.
Der Mord ist erkennbar von Augenzeugen, die gerade noch in die alltägliche Wirklichkeit vertieft waren.
Es wird zwar die Tat erkannt, aber nicht der Täter.
Durch die Tat erst wird die beschriebene Wirklichkeit zu einer Geschichte mit einer besonderen Zeit, mit einem besonderen Ort, mit besonderen Personen. Die Rechtfertigung der schon vorher beschriebenen Gegenstände geschieht erst im nachhinein durch den Mord.
Durch den Mord werden Beziehungen hergestellt, oder es werden ausdrücklich Beziehungen verschwiegen, die im künftigen Hergang der Geschichte aufgedeckt werden sollen. Nur ein *Satz fehlt. Um diesen Satz entsteht die Geschichte. Um diesen Satz entsteht der Fall.*
Das Ermordungskapitel beginnt in der Regel mit der Beschreibung eines nebensächlichen Gegenstandes, der sich aber am künftigen Tatort befindet. An der Haltung oder Lage dieses Gegenstandes wird das künftige Sterben vorweggenommen.
Erschien im vorhergehenden Kapitel alles bestimmt und bekannt, so erscheint jetzt alles unbestimmt.
Die erste Person, die auftritt, wird nur flüchtig beschrieben, aber nicht mit dem Namen genannt.

Wird sie von hinten beschrieben, so geht die Beschreibung in der Regel vom künftigen Mörder aus und die von hinten beschriebene Person ist der künftige Tote.
Ein von vorn Beschriebener kann sowohl künftiger Toter als auch künftiger Mörder als auch Zeuge sein.
Wird jemand in Gesellschaft beschrieben, so ist er der künftige Tote.
Wird eine Gesellschaft beschrieben, außerhalb dieser Gesellschaft aber jemand, der sich ihr nähert, so ist diese Person in der Regel der künftige Mörder.
Wird jemand beschrieben, der sich von einer Gesellschaft entfernt, so ist er in der Regel der künftige Tote.
Wird von einer Person aus beschrieben, die nicht zu einer Gesellschaft gehört, aber sich in einer solchen Lage zur Gesellschaft befindet, daß auch jeder aus der Gesellschaft später die Person beschreiben könnte, so ist sie der künftige Zeuge. Auch eine Person, die zwar der sichtbaren Form nach zur Gesellschaft gehört, in Wahrheit aber nur als Fremder hineingeraten ist, ist der künftige Zeuge.
Die Beschreibung der Ermordung, wie überhaupt die Beschreibungen in der Mordgeschichte, geht vom einzelnen zum ganzen. Zum Beispiel wird zuerst die Verfärbung einer weißen Hemdbrust oder ein Staunen in den Augen beschrieben.
Der Täter tritt zunächst nur auf in der Handlung, die er ausführt.
Das Opfer ist ahnungslos, aber nur bis zum vorletzten Augenblick. Würde es nachher noch weiterleben, so würde es in der Regel etwas Zweckdienliches mitteilen können.
Daß mit ihm etwas geschehen ist, nehmen hingegen die Augenzeugen immer erst einen Augenblick zu spät wahr.
Daß die Ermordung sogleich geschehen wird, ist daran zu erkennen, daß die Beschreibung, die bis jetzt in ihrer Ebenmäßigkeit der alltäglichen Wirklichkeit angepaßt schien, sich plötzlich verdichtet und genauer wird.
Das drohende Ereignis ist auch daran zu erkennen, daß an die Stelle der Beschreibung von Personen die Beschreibung von Dingen tritt.
Oder es werden noch einmal gehäuft alle alltäglichen Verrichtungen ringsum aufgezählt, damit die Überraschung wirken kann. Vor dem Mord scheint nichts enden zu wollen.
Im Gang der Beschreibung bekommt jetzt jede Unregelmäßigkeit eine besondere Bedeutung.
Das Geräusch oder der Laut, die durch die Tat entstehen, werden von einem Zeugen meist für einen Laut oder ein Geräusch des natürlichen

Laufs der Dinge angesehen: ein Schuß etwa für die Fehlzündung eines Autos oder das Husten des tödlich Getroffenen für ein Husten, wie es in ungelüfteten Räumen entsteht.
Im Augenblick des Mordes bleibt für die Geschichte die Zeit stehen. Der nächste Satz schon gilt nur der stehengebliebenen Zeit:

Das Wurstblatt hängt aus der Semmel.
Der Hausierer hört auf zu schauen. Der Gegenstand kann nicht von selber umgefallen sein. Als der, an den er den Satz richtet, wegschaut, setzt er den Satz ohne Unterbrechung beim nächsten weiter. Er erblickt eine Tube Rasiercreme mit abgeschraubtem Verschluß. Er verschluckt sich an der eigenen Zunge. Der Mann schaut auf seinen Daumen. Er hält das Glas in der bloßen Hand. Der Hausierer lacht die Bierflasche an.
Er weiß auf einmal nicht, wo er hingehen soll. Immer wieder versucht er, in dieselbe Scharte zu treffen. Alles, was er sieht, kommt ihm wie ein Fremdkörper vor. Als der Kern aus der Frucht gerissen wird, entsteht ein Krachen. Er hebt den Kopf, als ob das die natürlichste Sache auf der Welt wäre. Der auf der Erde liegende Schlauch wird plötzlich um die Hausecke gezogen. Seine Hände liegen schlaff zwischen den Schenkeln. Er möchte nicht hierbleiben, aber auch nicht weggehen.
Die weiche Butter klatscht auf den Steinboden.
Der Husten würgt ihn.
In den Kniekehlen der Frau zeichnen sich die Adern ab. Der Mann steckt den Brief ungeöffnet in die Tasche. Die Katze hat nichts gesehen. »Das ist Schweineblut.« Ein Glas klirrt, vielleicht eine Fensterscheibe.
Die einzige trockene Stelle der Straße hat die Form eines froschartig liegenden Menschen.
Sein Lid zuckt.
Er zeigt seine Harmlosigkeit, indem er mit offenem Rock geht. Der Atem, dem der Hausierer lauscht, ist nicht der seine. Zwischen dem Hemd schaut die bloße Haut hervor.
Jetzt, nachdem sie nichts anderes mehr zu sprechen haben, müssen sie über sich selber sprechen.
Er bewegt sich, um zu zeigen, daß er noch da ist. Der Rücken des Mannes ist wohltuend breit. Die Lebhaftigkeit äußert sich in dem Fuchteln mit den Armen. Die Zaunspitze ist an der Spitze dick

mit einem hellen Tuch umwickelt. Genießerisch drückt er die Zigarette aus. Die Sitzlehne des Autos ist vornüber auf das Lenkrad gefallen. Der Schuh liegt im Schatten unter der Stiege in einer Stellung, in der *leere* Schuhe im allgemeinen nicht liegen. Er hält beim Sprechen die Kopfbedeckung fest, obwohl es doch windstill ist. Der Mann wendet sich nie um, so daß er nie sein Gesicht sehen kann. Eine dicke Zeitung klatscht auf die Straße.
Als die beiden einander kurze Zeit nach der ersten Begegnung am selben Ort wieder begegnen, lächeln sie verlegen.
Er starrt den Hörer an, der für ihn bereit liegt. Als der kalte Schweiß auf seiner Haut zu rinnen anfängt, erschreckt er ihn wie eine fremde Berührung. Die Klammer ist zu locker, als daß sie die Zeitung halten könnte. Es ist ein Mann unbestimmbaren Alters. Der gewaltsam untergetauchte Schwamm schnellt an die Oberfläche zurück. Die Leitung ist tot.
Nachdem er die Kleidung abgewischt hat, schaut er die Fingerspitzen an. Die Bruchstelle ist noch ziemlich frisch. Der Knopf hängt locker am Mantel. Der Kasten hat innen einen geräumigen Hohlraum. Er beugt sich am Hörer ein wenig vor, wie man es tut, wenn man die Antwort bekommt. Alle bewegen sich noch immer mit einer gleichbleibenden Geschwindigkeit. Wer sich der Gesellschaft nähert, kommt nur, um sich ihr anzuschließen. Der Hausierer beobachtet einen herrenlosen Schuh.
Etwas hat kurz geblinkt, aber er hat den Gegenstand, der sich bewegt haben muß, nicht erkennen können. Als er den Kopf hebt, ergreift ihn ein Schwindel. Der Vorhang ist schon von vornherein rot.
Er sieht keine Luftblasen mehr im Wasser. Das Rad liegt in einer seltsam verrenkten Stellung auf der Straße. Er lehnt sich an die Mauer und überlegt. Sie sprechen von ihm als von einem Gegenstand. Die Ware wird deshalb nicht gekauft, weil ihr Name so peinlich lustig ist. Die Zeitung schlittert ruckweise über die Straße. Am Hals der Frau zeigt sich die heftig pulsende Ader. Ein fremder Name wird am Telefon verlangt.
Der eine Schuh ist an der Spitze zusammengedrückt.
Er beobachtet, wie die Lache größer wird. Man erteilt Ratschläge, wie man den Fettfleck entfernen könnte. Der Ziegel ist nicht gefallen, er ist geworfen worden! Der Mann zielt mit der Zigarette auf ihn. Es sind mehr Leute ins Haus gegangen als wieder herausgekommen sind!

Er erblickt einen einzelnen breitgetretenen Lehmklumpen. Die Pupille vergrößert sich. Es ist der Schürhaken, der fehlt!
Ihre Haut erscheint ihm unvollständig ohne fremde Berührung. Er wird gesprächig vom Mangel an Erinnerung. Niemandem schaut er in die Augen. Daß er den Kopf entweder höher oder tiefer hält als gewöhnlich, macht ihn zwar unsicher, läßt ihn aber Neuigkeiten entdecken. Plötzlich rasselt unmittelbar neben ihm ein Rolladen herunter. Der Knall hat niemandem gegolten. Auf der gestärkten Hemdbrust breitet sich in Sekundenschnelle ein Fleck aus.
Der Hausierer entschuldigt sich wegen einer unwillkürlichen Berührung. Irgendwo schreit jemand auf, und eine Tür schlägt dröhnend zu. Dem Mann fällt die Frucht aus der Hand.
Er zieht ein Gesicht, als sehne er sich danach, angerempelt zu werden. Die Frau hat beim Horchen nicht einmal den Atem angehalten. Er möchte endlich etwas anderes als den Rücken sehen. Diese Zeitverschwendung, sich wieder von oben bis unten den Mantel zuknöpfen zu müssen!
Die Polsterung ist aufgeschlitzt.
Er ist immer in Bewegung, so daß niemand die Gelegenheit hat, ihn gründlich zu mustern. Durch das lange Verweilen in einer Haltung hat sich die Kleidung dieser Haltung angepaßt.
Das Wasser ist nach dem Untertauchen des Körpers schon wieder beunruhigend ruhig.
Der Hausierer hört nicht das Geräusch sich eilig entfernender Schritte. Durch ein Loch in dem Handschuh schaut das Ende eines Fingers. Diese Bedrohlichkeit des aufrecht stehenden Bügeleisens! Den Fleck könnte man fast schon eine Lache nennen. Eisstücke fallen in die leeren Gläser.
Der Rolladen verzerrt sich fast unmerklich: Von dem Draht klatscht ein großer einzelner Tropfen auf die Straße. Das Schuhband ist an der Spitze lehmgelb. Der Verschluß springt im Ausguß hin und her. Die Mundwinkel verziehen sich nach oben. Der Vorhang fällt senkrecht. Der Hund bellt im Nebenhaus. Alle Türen des Autos stehen weit offen. Das Tintenglas ist ausgetrocknet. Die Tischlade ist leer. Der angebissene Apfel steckt im Kanalgitter. Die Flüssigkeit hört auf, sich zu bewegen. Die Katze leckt den Stein ab. Der Schemel steht in der Ecke. Ein Blatt hängt im Spinnennetz. Die Blase auf dem Spuckfleck platzt. *In diesem Augenblick der Beschreibung klingt sogar*

das Geräusch des Wassers, das aus der Kanne ins Glas rinnt, gefährlich.
Der Blick ist nicht zu mißdeuten. Die Frau nestelt an dem verrutschten Strumpf. Der Uniformierte tritt aus dem Haus. Eine Hand zerrt die Schaufel aus dem Schotterhäuschen. Jemand bückt sich nach einer Münze, richtet sich aber sogleich wieder auf, als er bemerkt, daß die Münze ein Knopf ist. Die Frau legt die Hände flach auf den Kopf. Der Hausierer tastet hinter sich. Diesmal kann es nicht mehr die Fehlzündung eines Autos sein.
Der Mann greift sich mit beiden Händen an den Hals. Der Hausierer lehnt sich gegen die Klingel. Niemand trillert auf der Pfeife. Eine behandschuhte Hand erscheint am Fensterbrett. Ein kleiner Schreckenslaut entfährt ihrem Mund. Im Kino drinnen heulen plötzlich die Sirenen.
Das Fenster tut ihm nicht den Gefallen, aufzugehen. Als er den Schrank aufreißt, schlagen die leeren Kleiderbügel aneinander. Die Reifen des bremsenden Autos schaben den Rinnstein entlang, bevor sie zum Stehen kommen. Am anderen Ende hört er einen erstickten Schrei. Der breite Rücken bietet eine gute Zielscheibe. Der baumelnde Hörer schlägt dumpf gegen etwas. Der Sprung im Glas, der durch den zweiten Schuß entsteht, endet dort, wo er auf den schon vom ersten Schuß entstandenen Sprung trifft. Ein Zigarettenstummel rollt vor ihm über die Straße. Seine Nasenflügel werden heiß vor Angst.
Die Plane bauscht sich über das verlassene Auto. Die Worte werden zerdehnt, weil alle horchen. Der Gegenstand unter der Zeitung hebt und senkt sich nicht. Der Aschenbecher ist ausgeleert. Als der Hausierer den Koffer aufhebt, kommt er ihm unnatürlich schwer vor. Die Stirn juckt. Zwischen den Rollbalken erscheint ein rundes Loch. Er hebt die Hand und spreizt alle Finger. Man einigt sich, daß alles in Ordnung ist.
Er hebt den Kopf und schnuppert. Lange, nachdem er den Raum betreten hat, fällt ihm ein, er könnte sich vielleicht im falschen Raum befinden. Vielleicht sind nur gewöhnliche Bauchschmerzen die Ursache, daß der andere sich in dieser Weise den Bauch hält?
Die Mündung weist auf den Boden. Der Hausierer sieht eine Kleinigkeit. Alle Farbe weicht ihr aus dem Gesicht. Die Wangen des Kindes zittern beim Laufen. »Die Drähte sind so still wie ihre Schatten.«

Niemand stürzt aus der Tür. Ein kalter Luftzug streift sein Ohr. In diesem Augenblick streiten sie um Eigentumsrechte. Als die Hand wieder zum Vorschein kommt, ist sie nicht mehr leer. Das Rot bedeutet etwas. Er versucht den Hut aufzubehalten, während er umfällt. Es riecht nach angebranntem Stoff. Zu dieser Zeit ist die Ruhe unnatürlich.

Das Auto ist eine dunkle Masse auf der Straße. Die Tür schwingt noch hin und her. Er schützt das Gesicht mit den Händen. Es ist eine ziellose Bewegung. Plötzlich wird das Telefon lebendig. Der Motor stirbt ab.

Ebensogut könnte er sich an eine Glasscheibe klammern. Er schaut zuerst langsam, dann schnell. Das störende Geräusch ist in diesem Augenblick der Ordnung nicht unwillkommen gewesen. Die Hand hebt sich deutlich von der Dunkelheit ab. »Hier stirbt niemand an Langeweile.« Aus der bis aufs äußerste offenen Tür schwebt ein dünnes Rauchwölkchen.

Sie vergleichen den Fleck in seiner Größe mit Münzen. Die Füße unter ihm geben nach. Seine Stimme wird auf einmal völlig verständnislos. »Es wird wieder ein Knallfrosch gewesen sein.« Die Flasche steht an seinem Fußende! Jetzt ist es zu spät, die Hände aus den Taschen zu reißen. Der Hausierer hält die Ware so, daß man zu ihr *hinauf*schauen muß. Der Mann, der auf dem Rasen liegt, könnte tot sein.

Er legt den Bleistift nieder. Die Augen werden starr, aber nicht, weil sie etwas erblicken. Der Docht raucht noch. Der Hausierer schüttelt das Taschentuch aus. Das Glas fällt zur falschen Zeit auf den Boden.

Er sieht die Gestalt durch die Radspeichen. Das Pferd schnaubt. Er greift an sich empor, obwohl kein Knall zu hören war. Der Hausierer steht im toten Winkel der Tür. Der Hörer zuckt auf der Gabel.

Man könnte den Knall der Sektpfropfen ausnutzen!

Niemand will es gehört haben.

Wenn er das Buch jetzt schnell zuklappt, kann er die Fliege noch erwischen.

Alle halten sich plötzlich die Hände vor den Mund. Das Krachen, als er umfällt, hört sich so an, als werde er nicht wieder aufstehen. Warum trinken sie nicht weiter? Er ahnt die Bewegung mehr als er sie sieht. Die Bretter des Bodens wirken lose. Das Bild der Gesellschaft ist nicht entlarvend. Obwohl er das Schuhband knüpft,

schaut er nach oben. Die Gegenstände klirren in der Hand des Erschreckten. Der Laufende streift mit dem Koffer die Mauer. Als er lacht, tritt er einen Schritt zurück. Alle haben diese aufgescheuchten Gesichter. Die Frau schluckt das Gähnen hinunter. Zwischen den Pflastersteinen zittern die Wasserlachen. Sein Daumen ist plötzlich trocken. »Das ist *mein* Hut!«
Ein Blick in das Gesicht genügt. Niemand sagt etwas. Das Geräusch ist nicht aus dem Keller gekommen! Die beiden wechseln einen Blick. Die Hände liegen im Schoß. Zu spät bemerkt er, daß es nur sein Spiegelbild ist. Der Neuankömmling stößt in äußerst erregtem Zustand die Tür auf. Die Nasenlöcher werden immer größer.
»Seine Hand fährt nach der Hüfte, so schnell wie ein Frosch nach der Fliege schnappt.«
Weil ihm kein Wort mehr zur Verfügung steht, zeigt er, was mit ihm vor sich geht, indem er sich *bewegt*.
Die Finger scheinen flacher zu werden. Die letzten Laute ersterben schließlich zu einem Geräusch. Der Liegende kann oben und unten nicht mehr unterscheiden. In diesem Augenblick ist für ihn jede Entfernung unendlich. Der Hausierer hat bernsteingelbe Augen.
Er redet so schnell, als spreche er um sein Leben.
»Das ist aber eine ungewöhnliche Zeit für einen Anruf!«
Der nasse Finger versucht die Schrift auszulöschen. Plötzlich wirft der Mann die Arme in die Luft. Das Mündungsfeuer ist zu kurz, als daß man etwas erkennen könnte. Der Sterbende lächelt grimmig.
Schließlich wird für den Taumelnden auch die geringste Bodenerhebung zu einem unüberwindlichen Hindernis.
Der Hausierer stützt sich von der Tischplatte ab. Ungläubig schaut der Mann an sich herunter. Die Laute werden sinnlos. Die Frau spricht nur mit der Mitte der Lippen. Er fällt seitlich, nicht nach vorn, wie man es hätte erwarten müssen. Beim Weggehen hält der Hausierer sich den Hut vor das Gesicht, in der Meinung, sich gespiegelt zu sehen. Die Telefonschnur liegt zwischen den Armen der Schere.
Der Hausierer kann nicht wegschauen. Seine Gesten widersprechen seinen Worten. Er steht in der Schußlinie. Er preßt seinen Fingernagel auf den Fingernagel des Liegenden, und der Nagel bleibt weiß.
Was bedeutet es, daß die Rinde von der Säge splittert?

Der Hausierer bemerkt, daß die Flasche offen ist. Die glanzlosen Augen und der aufgerissene Mund sprechen eine deutliche Sprache. Aus dieser Zuckerdose wird nie wieder Zucker rieseln! Er legt das Ohr ganz dicht an den Mund des Sterbenden. Der Hausierer trägt am Handgelenk ein schwarzes Lederband! Die Finger werden plötzlich fühllos.
Ist das ein Ölfleck?
Er ist nicht sicher, aus welcher Richtung der Schrei gekommen ist. Das Weiße in ihren Augen ist nicht weiß. Die Bewegungen sind unwillkürlich. Warum will er sich in dieser harmlosen Situation nicht fotografieren lassen?
Das Telefonbuch ist noch an einer bestimmten Stelle aufgeschlagen. Als er umfällt, dreht er sich um seine Achse. Er sinkt in sich zusammen. Die Bewegungen sind aus ihren Bahnen gesprungen. Weil ein Hausierer oft stundenlang ohne Beschäftigung ist, hat er Zeit zu Beobachtungen, die anderen entgehen. Das Fallen ist nicht auf einmal zu Ende, sondern nach und nach. Vor Unbehagen biegt er die Füße auf. Plötzlich erscheint ein drittes Auge zwischen den anderen beiden Augen.
Der Hausierer schätzt von hinten den Stoff des Anzugs ab. Das Ende eines Besenstiels schaut aus dem Türspalt. Es ist nicht ein Schrei, sondern ein Ruf. Sein Mund wird sehr trocken.
Um einander zu beruhigen, suchen sie die Erklärung für das Geräusch bei den Dingen. Die Spannung der Muskeln läßt nach. Daß sie den Gegenstand *suchen*, gehört jetzt nicht mehr zum Spiel. Auf einmal muß er sich alles erst ausdenken, was er sieht, damit er es sehen kann. Seltsamerweise spürt der Hausierer in der Tasche einen Schlüssel. Es ist ein Loch von der Größe einer Kinderfaust.
Er schnellt aus seiner gebeugten Haltung auf.
»Der späte Nachmittag ist die schlimmste Zeit für einen Mord.«
Als das Telefon klingelt, hört er sofort zu kauen auf. *Einige Zeilen weiter oben hat er noch gesprochen, und jetzt wird er nur noch beschrieben.* Nicht einmal die Asche ist von der Zigarette gefallen. Es ist ein Geräusch, weder Husten noch Schlucken, eher beides zugleich. »Haben Sie noch nie einen Toten gesehen?«
Er bewegt sich noch.
Allmählich begreift er, was mit ihm geschehen ist. Die Augen werden wieder lebendig. Er tritt auf etwas Weiches.
Der Todesschrei besteht bei dieser Todesart aus Selbstlauten.
Der Hausierer schnüffelt an den Fingern. Die Augen des Liegenden

sehen nur noch sich bewegende Objekte. Das Papier knistert, als es umgeblättert wird. Ein Knopf schaut aus dem Spalt zwischen den Brettern. Er hat noch den Schaum der Rasiercreme im Gesicht. Es dauert lange, bis sich aus dem Gedanken ein laut gesprochenes Wort ergibt.

Er kann auf nichts mehr hindeuten.

Die Hand rutscht allmählich von ihm herunter.

»Sterbe ich?«

Der Hausierer geht hin und her.

Wohin er sich auch wendet, kein Gegenstand ist mehr frei zum Berühren. Der tödlich Getroffene hustet. Die Ränder der Nasenlöcher werden immer heller. Die Frau kratzt sich überall. In der weit offenen Tür erscheint so lange niemand, bis ihm die Augen zu brennen anfangen. Die Katze rennt im Kreis herum.

Der Tote oder noch nicht Tote schaut ihn an.

Es herrscht eine unwirkliche Stille. Das Kind streicht sich mit der Speckschwarte über die Wange. Niemand ist aufgesprungen. Der Bleistift rast über das Papier. Kurze Zeit lang reden einander alle vor Schreck mit du an.

Die Bewegungen werden immerfort abgebrochen. Das Pferd wakkelt mit den Ohren. »Rund um den liegenden Körper ist die Straße feucht, wie man es bei festgepreßten Blättern beobachten kann.«

Zuerst hat er das gestockte Blut für einen Scherzartikel gehalten.

Warum ballen sich vor diesem Hauseingang die Menschen? Der Gegenstand, auf den Boden geworfen, hüpft nicht mehr auf. Er hat sich noch am Vorhang festzuklammern versucht. Der Mann hat so dicke Handschuhe an, daß es ihm nicht gelingt, die Seiten umzublättern. Allmählich werden die Bewegungen schwächer. Niemand kümmert sich in diesem Augenblick um den Musikautomaten. Der Sterbende beschreibt den Mörder als klein und groß.

Der Hausierer hat einen erstickten Schrei gehört.

Das Kind steigt mühsam in den Stiefel.

Der Teppich ist so dick, daß man stolpert, wenn man ihn in diesem Zustand betritt.

Eine dunkle Masse liegt auf dem Boden.

Jeder will helfen.

Er wird immer stiller.

Sie hat rote Zähne.

»Der Schrei gellt mir noch jetzt in den Ohren!«

Der erste, der aus dem Haus tritt, wird bestürmt zu sagen, was er gesehen habe. Die Laute des Sterbenden beginnen sich zu verschieben. Die Tür gibt nicht nach. Der Handschuh steckt auf dem Zaun! Jemand schlägt auf den Tisch, und der Aschenbecher hüpft auf. Der Griff des Messers federt noch. Der Hausierer bemerkt, daß der Sterbende ein ähnlich gemustertes Hemd trägt wie er. Er redet sich zu Tode. Bis zuletzt hat er daran gezweifelt, daß er sterben muß. Er erkennt nichts mehr. Feine Erdschübchen fallen von den rollenden Rädern in die Fahrspur zurück. Auf Bügeln hängende Kleidungsstücke verwehren den Blick in das Innere des Autos. Jemand schreit das Telefon an. Im Nu füllt sich das Zimmer mit Menschen. Alle Hunde erwachen.

Er ist schon tot, er weiß es nur noch nicht.

Man muß ihn umdrehen.

Dem Seufzer folgt noch ein Seufzer.

Es hat keinen Zweck, die Wunde zu stillen.

Jemand kratzt mit den Fingernägeln an der Tür.

Das Gummiband springt klingend vom Paket.

Hinter dem Sterbenden lacht einer.

Niemand weiß, was eigentlich vor sich geht.

Es schlägt sich kein Dunst mehr auf den Spiegel.

Gerade in diesem Augenblick hätte sein Körper eine Fläche sein müssen.

Wenigstens kann ihm nichts mehr weh tun.

Seine Augen haben den Ausdruck, den Augen von gerade Gestorbenen haben, fast so, als schauten sie einen noch an, nicht ganz, aber fast.

Obwohl er schon tot ist, klopfen sie ihm noch immer auf den Rücken.

Er lebt noch?

Das Eis bricht.

Alle weichen plötzlich vor ihm zurück.

Noch einmal wird er mit seinem Namen angerufen, zuerst mit einem Fragezeichen, dann mit einem Rufzeichen.

Das Licht wird angeschaltet.

Er streckt sich, bis er mit Fingerspitzen und Schuhspitzen seine endgültigen Grenzen erreicht hat.

Alles, was ihn berührt, erscheint ihm kalt und heiß zugleich.

Zuletzt sieht er nur noch Schuhkappen um sich.

Die Gesichter laufen rot an.

Der Hausierer legt die Münze auf das Tablett.
Das letzte Wort ist vieldeutig.
Er atmet aus.
Es ist sehr still.
»Nein!!!«
Und wieder geht der Hausierer an Mauern vorbei.

3 Die Ordnung der Unordnung

Der Mord geht jetzt nicht mehr vor sich, er ist schon geschehen. Er ist kein Vorgang mehr, er ist bereits eine Tat. Eine Wiederherstellung der alten Ordnung ist nicht mehr möglich. Es geht jetzt darum, die Unordnung, die durch die Tat entstanden ist, zu ordnen, indem diese Unordnung aufgezählt und beschrieben wird.

Die Aufzählung ist eine Aufzählung der größtmöglichen Einzelheiten. Die Aufzählung möglichst vieler Einzelheiten dient der größtmöglichen Aussonderung.

Durch eine Verneinung alles dessen, was sich nicht *zeigt, kommt die Beschreibung der Tat zu einer größtmöglichen Einschränkung der zuerst unzähligen Möglichkeiten. Die Beschreibung der Tat in den Einzelheiten dient der Umwandlung der Unzahl in eine Zahl von Möglichkeiten und der Umwandlung der Zahl von Möglichkeiten in eine Einzahl, in die einzige Möglichkeit, in die Tatsache.*

Je größer die Zahl der feststellbaren Einzelheiten, desto eher wird die Eindeutigkeit erreicht werden. Die Aufzählung der Einzelheiten soll zur Unverwechselbarkeit führen. Im besten Fall gibt es so viele Einzelheiten, daß der Mörder plötzlich als einzelne, besondere Person erscheint. Je mehr also die Tat in Einzelheiten zerlegt werden kann, desto klarer zeigen diese auf den Mörder. Die Ordnung der durch den Mord entstandenen Unordnung dient der Klärung der Unordnung.

Die Unordnung muß möglichst klar gemacht werden, damit ihre Ursachen erkannt werden können. Sie wird aber nicht wirklich geordnet, sondern nur insofern, als sie beschrieben wird. Damit sie beschrieben werden kann, darf an ihr selber nichts geordnet werden.

Für die Nachforschenden beginnt mit dem Augenblick der Tat, in dem die Zeit stehengeblieben ist, eine andere Zeiteinteilung. Die Zeit wird eingeteilt in die Zeit vor und nach dem Mord. In der Mordgeschichte wird das Stehenbleiben der Zeit in der Regel dadurch verbildlicht, daß infolge der Mordhandlung wirklich *eine Uhr stehenbleibt, etwa die Uhr des Opfers, als dieses auf dem Boden aufschlägt.*

Erst wenn die Unordnung durch Beschreibung eingeteilt und festgehalten ist, kann sie selber bereinigt werden. Die Bereinigung der Unordnung gehört aber nicht mehr zur Geschichte.

In der Mordgeschichte ist an dieser Stelle die Unordnung so angelegt, daß alle Fragen beantwortet werden können bis auf die Frage nach dem Mörder, oder es wird auch die Frage nach dem Mörder beantwortet, aber man kann sicher sein, daß es an dieser Stelle der Geschichte die falsche Frage und die falsche Antwort ist. In der Regel wird diese falsche Antwort durch eine falsche Antwort in einer anderen Frage bewirkt, etwa in der Frage nach dem Tatwerkzeug, nach der Tatzeit, nach den Begleiterscheinungen. Fälschlich wird ein Stein für das Tatwerkzeug gehalten, oder die Uhr geht falsch, oder die Sichtverhältnisse werden falsch beurteilt.

Einer, der, jedenfalls in der Mordgeschichte, nicht zu den Nachforschenden gehört, weil er zur Nachforschung weder ermächtigt noch verpflichtet ist, bemerkt den Fehler. So wird er, der sich eigentlich aus der Geschichte heraushalten möchte, in die Geschichte hineingezogen. Er hat etwas gesehen, was die anderen nicht gesehen haben. Wohl oder übel fängt er an, mögliche Beziehungen herzustellen und mit diesen Beziehungen zu spielen, um zu zählbaren Möglichkeiten zu kommen.

Er ist der einzige, der die Einzelheit kennt, welche die Möglichkeiten vielleicht plötzlich zur einzig möglichen Tatsache machen kann.

Die Unzahl oder Vielzahl der Möglichkeiten beunruhigt ihn. Er fängt zu fragen an, zuerst nur sich selber:

»Lassen Sie alles, wie es ist!«

Erst jetzt fangen sie wieder zu atmen an.

Das leiseste Geräusch klingt in dieser Umgebung unanständig laut.

Der Hausierer hört keine sich entfernenden Schritte. Die Stimme, die aus dem auf dem Tisch liegenden Hörer spricht, sagt immerzu das gleiche. Niemand hat bis jetzt das entscheidende Wort gesprochen, so daß es noch nicht zu spät scheint. Der Hausierer glaubt, an dem Toten die Nachbilder der letzten Bewegungen zu erkennen.

Daß jemand heimlich auf ihn zeigt, beruhigt ihn.

Die Äußerungen der Verzweiflung bei andern, zum Beispiel das hörbare Saugen an der Zigarette, sind ihm jetzt lästig. Die Frau, angesichts des Unglücks, bügelt weiter, mit heftigen Bewegungen. Einen Augenblick lang tun ihm auch die Dinge leid, aber nur die Dinge im Umkreis um den Toten.

Die nackten Füße schauen aus der Hose. »Das Elend ist nichts Neues.« Der Blick des Hausierers irrt ziellos umher. Er bemerkt,

daß seine Fingerspitzen noch immer voneinander weggespreizt sind. Der Schrecken hat seinen Körper schwer gemacht.
Er verschafft sich Bewegung, indem er in den Taschen des Mantels auf- und niederfährt. Um das lästige Tropfen des Wasserhahns zu verhindern, steckt er schnell den Finger hinein. In der Tür erscheint ein Mann mit einem Packen Zeitungen unter dem Arm. Verständnislos starrt das Kind auf den Toten. Die Scheibe wird vollends eingeschlagen. Die Rolläden rasseln hinauf. Die Berufskleidung hat schon etwas Ordnendes. Es sieht alles ganz echt aus. Sie reibt sich mit dem Finger den Lippenstift von den Zähnen. »Dabei ist er nicht einen einzigen Tag in seinem Leben wirklich krank gewesen!«
Man sieht dem Toten noch an, was er gesehen hat. Bei dem Sturz ist das Zifferblatt zersprungen. Viele haben das Geräusch für den Knall eines Pfropfens gehalten. Eine Lache ist durch eine leichte Bodenerhebung von dem Toten getrennt. Er ist auf Strümpfen sofort hinausgerannt. Einige fahren noch immer in ihren Verrichtungen fort. Wer ist denn auf einen Schuß gefaßt, wenn er gerade Obst kauft? Der Sterbende ist noch einige Schritte weitergegangen.
Plötzlich sprechen alle sehr viel. Der Hausierer hat sich bei dem Schrei zusammengeduckt. Langsam zerdrückt er die Streichholzschachtel in der Faust. Er kann es nicht aushalten, daß jemand neben ihm steht und mitdenkt. »Von wohnungslosen Toten werden Fingerabdrücke gemacht.«
Endlich trifft sein Blick auf einen Gegenstand, den er anschauen kann. Jede Bewegung würde jetzt falsch ausgelegt werden. Niemandem fällt sein verstörtes Wesen auf. Die Erinnerung an das, was er gesehen hat, ist noch so neu, daß er das Geschehene nicht glauben kann. Immer wieder kehren die Gedanken zu demselben Wort zurück. Die Kleider des Toten sind frisch gebügelt. Es ist jene Zeit der Dämmerung, in der man nicht weiß, ob man das Licht schon anschalten soll. Das ist kein Anblick für Kinder.
Das Objektiv ist senkrecht nach unten gerichtet, für den waagrecht liegenden Körper. »Für Tote im Gras wird weißer Puder verwendet.« Die Fingerspitzen sind tintenverschmiert. Der Schrei hat ihn herumschnellen lassen, obwohl er nur an ein Tier gerichtet war.
Eng aneinandergeschmiegt sitzen die Angehörigen im geschmacklos eingerichteten Wohnzimmer. Etwas Schreckliches ist gesche-

hen. Niemand hat in die fragliche Richtung geschaut. Der Liegende wird als der erkannt, der er war. Der Hausierer sammelt eilig seine Waren ein. Vor kurzem hat er noch Pläne für die Zukunft gemacht. Die Frau hat an der Wange einen fleischigen Auswuchs. Die Muskeln sind an der Eintrittsstelle zusammengezogen. Er ist nicht mehr dazugekommen, etwas mitzuteilen. Jetzt wird die unvermeidliche Frage gestellt werden! Er scheidet leider aus. Da hat er gesessen!

Er fletscht die Zähne, aber dieses Fletschen ist jetzt keine Tätigkeit mehr. Es wird eine maßstabgerechte Zeichnung von ihm angefertigt. Er hat eine schwer verdauliche Speise zu sich genommen. Obwohl niemand jemanden beschuldigt, glauben alle sich rechtfertigen zu müssen. Der Stein paßt nicht in die Mulde. Der Hausierer tritt auf eine abgeschnittene Zigarrenspitze. Er hat die Tür der Telefonzelle nicht zugemacht. Als der schwere Gegenstand über seinen Kopf gehoben wird, werden seine Zehen unruhig. Der Uniformierte rollt die Kugel im Handteller hin und her. »Vom Nagelfeilen kann man doch nicht Herzklopfen bekommen!«

Mit einem Lippenlaut ahmt er den Laut des Schusses nach. Die Stimme ist noch immer rauh. Davon wird er auch nicht mehr lebendig. Der Hausierer kann das Geräusch nicht beschreiben. Der Erschossene hat noch einen Augenblick regungslos dagestanden.

An einer Stelle ist die Menge besonders dicht.

Die Suchenden finden nur noch die Reste einer Mahlzeit. Zwischen zwei Sprossen der Leiter ist ein größerer Abstand als zwischen allen anderen Sprossen. Der Hausierer reibt sich nachdenklich die Hände. Die Gestalt des Toten wird mit Kreide auf den Boden gezeichnet. Die Spitzen der Gabel schauen aus der Kartoffel. Die Warenmarke ist abgefeilt worden. Arme und Beine erscheinen ihm ungeheuer lang. Alle anderen werden hinausgeschickt. Sie nimmt die alten Gewohnheiten wieder auf. Er ist schon lange tot.

Der Handschuh paßt ihm nicht. Man muß sich zu ihm bücken. Er setzt sich auf das Schotterhäuschen.

Woher kommen nur immer so schnell die Zeitungen zum Zudecken? Der Tatort ist verschieden von dem Ort, an dem die Tat gewirkt hat. Er hat sich in der Entfernung des Bodens von seinen Fingern verschätzt. Es ist die Leiche eines Mannes. Der Regenwurm ist mit Sand überkrustet. Die Hand wird aufgehoben und fällt wieder herunter. Der Stuhl steht nicht mehr auf dem alten Platz. »Das Geschoß ist unverletzt!«

Das schwarze viereckige Loch ist nur das offene Hinterteil eines Lastwagens. Die Haare werden ihm in die Stirn gekämmt. Die Gummistiefel sind am Schaft umgestülpt. »Durch einen Schuß entstehen dreierlei Geräusche.« Er betrachtet die Umwelt wieder unbefangen. Was er insgeheim denkt, begleitet er mit Gesten. Die Frau ist mit zur Brust erhobenen Händen über die Straße gelaufen. Eine Kinderstimme hat die entscheidenden Worte gesprochen. Der Hausierer ist nur zufällig hier.

Die Finger der Handschuhe schauen dem Toten aus der hinteren Tasche der Hose.

Er fürchtet diese langen Formalitäten der Trauer.

Die Kugel hat einen Kreuzeinschnitt an der Spitze. Hat er mit der Haltung, in der er daliegt, noch etwas ausdrücken wollen? Was an dem Ort zerstört worden ist, wird eingesammelt. Vielleicht ist es eine *verirrte* Kugel gewesen. Nach jedem Satz entsteht ein unangenehmes Schweigen.

Je öfter der Hausierer sich an die Einzelheit erinnert, desto unsicherer wird er. Rund um den Hydranten sieht er die Straße voll Wasser. In den Sätzen, die er denkt, fehlt immer ein Wort.

Der Inhalt der Taschen wird auf ein Tuch geleert. Das Hemd ist so zugeknöpft, daß am Ende noch ein Knopf übriggeblieben ist. Obwohl der Tote auf einer sauberen Unterlage liegt, ist sein Rücken voll Sand.

Mitten im Reden, während er nebenbei mit einem Gegenstand spielt, bemerkt er an diesem Gegenstand etwas Auffälliges und stockt. *Dadurch, daß die Unordnung jetzt geordnet ist, erscheint der Tod erst als endgültig.* Das Gesicht des Kindes spiegelt sich im Honigtopf.

Der Hausierer bewegt sich, als ob ihn ein Gedanke nicht ruhen ließe. Er hätte sich darin üben müssen, die Lage auf den ersten Blick zu erfassen. Unauffällig gekleidete Männer in Zivil steigen aus.

Er hat sich inzwischen so oft ein *Bild* von dem gemacht, was er gesehen hat, daß er sich überzeugen möchte, ob er es *wirklich* gesehen hat.

In den Kleidern des Toten werden Salzreste gefunden. Der Vorübergehende starrt auf den Boden. Der Hausierer kann sich schon

gar nicht mehr vorstellen, daß der Tote jemals gelebt hat. Er fährt zuerst mit den Händen in den Stiefel. Die verstreuten Streichhölzer sind jetzt eingesammelt. Er hat einen kalten Gegenstand beim Anfassen für einen heißen gehalten. Am Oberarm zeigt sich eine Impfnarbe. Das Opfer ist so ahnungslos gewesen, daß er es im nachhinein anschreien möchte. *Je länger der Tote beschrieben wird, desto mehr sieht er aus wie ein Einrichtungsgegenstand.* Jemand hat ein längliches Paket vorbeigetragen.
Die Aufmerksamkeit des Hausierers kommt wieder zu spät. Angestrengt versucht er, in der Gegenwart zu bleiben, indem er einen Gegenstand anstarrt. Allmählich wird es so dunkel, daß die Einzelheiten nicht mehr zu trennen sind. »Das Geschoß hat getaumelt!« Er hütet sich, mit den Fingern etwas Glattes anzufassen. Sie bewegen sich seitlich an den Wänden entlang. Er bemerkt vor sich auf der Straße in regelmäßigen Abständen Speichelflecken. Niemand hat jemanden über die Straße laufen sehen. Der Brief ist kein Drohbrief. Die Habseligkeiten liegen geordnet in einer Reihe. Das nach außen gestülpte Futter der Hosentaschen hängt schlaff aus der Hose. Der Gegenstand ist so heftig abgewischt worden, daß ein Kratzer entstanden ist. Man zählt die Wunden. Er hebt plötzlich den Kopf. Obwohl der Sterbende gefallen ist, hat er nicht geglaubt zu fallen. Den Hut hat er sich selber eingedrückt. Die Rollbalken sind bewegungslos geblieben. Die Katze ist nicht einmal zurückgesprungen. Der Hausierer könnte ohne weiteres zu seinen Beschäftigungen zurückkehren.
Er geht vor sich hin.
Man schnüffelt an dem Lauf. Die Schubläden und Türen aller Schränke stehen aufgerissen. Viele bewegen sich noch benommen. Die Nachwirkungen des Schreckens sind angenehm. Er hält die Hände auf den Knien und schaut geradeaus. Der Todesschrei ist kein Schrei der Überraschung gewesen.
Der Tote ist warm angezogen. Er sieht einen stumpfen Gegenstand. Sein Kopf wird allmählich klar. Er ist ein unbrauchbarer Zeuge. Er weicht dem Bündel aus, das man ihm zuwirft. Als er in die Schüssel bläst, fährt ihm eine Staubwolke entgegen. Seine Haut ist durch den Schreck sehr empfindlich geworden. Er scheut sich davor, jetzt etwas an sich zu verändern, damit niemand glaubt, er habe etwas zu verbergen. In der Nacht hätte er den Schrei schon eher als Hilfeschrei ausgelegt.
Durch die Beschreibung wird die Unordnung rund um den Toten zu

einer neuen Ordnung, so daß eine Beseitigung der Unordnung nur neue Unordnung bewirkt.

Der Zigarrenstummel wird mit einer Pinzette aufgehoben. Er schaut noch immer ungläubig. Niemand hat unmittelbar danach die Wasserspülung betätigt. Jemandem ist aufgefallen, daß der Hausierer öfter die Hand unter das Hemd gesteckt hat. Der Tote hat entweder keinen Feind oder viele Feinde gehabt. Mit einem Mal fangen die Gegenstände an, etwas von dem Vorfall zu erzählen.

Mit jedem hat er noch Worte gewechselt. Er ist zu lustig gewesen, als daß es gutgehen konnte.

Das Kind hält den Vorgang noch immer für einen Teil des Spiels. Er möchte jetzt die Augen nicht offen halten. Die Leiche ist auf ihrem Platz. Es tut ihnen gut, daß sie sprechen können. Seine Hand kommt ihm jetzt unbrauchbar vor. Am ganzen Körper ist er noch kitzlig vom Schrecken. Die Frau hat nicht geblinzelt!

Dem Krach ist eine leise singende Stille gefolgt.

Er begreift die Zusammenhänge zwischen Gehörtem und Gesehenem nicht. Die Worte sind für einen Augenblick so undenkbar geworden, daß der Schrecken entstand.

Die Gegenstände zeigen scharfe Kanten. Er wiegt nicht viel. Unbehaglich rückt er auf dem Stuhl. Er hat sich an einem Grashalm geschnitten. Alles, was er sagt, scheint ihm jetzt eine Ausrede zu sein. Dem Toten wird der Handschuh anprobiert. Zuerst hat er geglaubt, er erbreche sich. Die Hand ist auf der Türklinke still liegengeblieben. Sie wissen genau, wie der menschliche Körper zu handhaben ist.

Niemand folgt ihm.

Sie trösten einander mit Vergleichen. Das Knie des Abflußrohrs wird abgeschraubt. Er kann nicht umhin, die über den Leichnam ausgebreitete Zeitung zu lesen. Die Streichhölzer sind feucht.

Ohne zu wissen, was der Schrei bedeutet hat, haben einige sofort auf die Uhr geschaut. Als Hausierer kann er die Herkunft vieler Waren bestimmen. Niemand hat ein Taschentuch ausgeschüttelt. Wenn man weiß, daß er annähernd aufrecht gestanden hat, kann man die Schußlinie nachzeichnen, die sich vielleicht mit einer andern Linie schneidet, so daß man den Schußpunkt erhielte. Der Stiefel ist herrenloses Gut.

Er denkt so lange über den Gegenstand nach, bis er ihn plötzlich vergessen hat. Rundherum sind Papierböller gezündet worden.

Der Vorhang ist kaum versengt. Es ist eine saubere Arbeit gewesen. Die Grasspitzen sind hell vom Licht der Taschenlampen. Die Kinder weinen in einiger Entfernung. Der Hausierer ist *ganz* ruhig. Jemand reicht ihm das zerknüllte Papier, das er weggeworfen hat. Ein Hund weckt den andern. Der Körper ist in seinen Armen plötzlich schlaff geworden. Er kann sich auf einmal nichts mehr vorstellen. Sie hat seine Lebenslinie betrachtet. Er verschluckt sich vor Schreck. *Allmählich wird der Tote wieder harmlos.* Einen Augenblick lang hat er geglaubt, *er* sei gemeint. Der Scheinwerfer schneidet ihm den Kopf vom Hals. Ein dunkles Bündel liegt auf dem Boden. Die Eile der Leute wirkt unangenehm. Er stolpert, und schon ist der Ernst der Situation dahin.
Nachdem er ihn sterben gesehen hat, spürt er beim Weggehen das kleinste Sandkorn unter der Sohle bis hinauf in die Kopfhaut.
Wenn er aufschaut, haben die Gegenstände schneidend scharfe Umrisse. Als er weitergeht, sieht er niemanden auf sich zukommen.
Niemand hat in der Toreinfahrt gestanden. Niemand hat sich mit auffallender Eile bewegt. Der Uniformierte hat niemanden sich bücken sehen. Als die Männer in Zivil herbeiliefen, sahen sie nirgendswo ein verdächtiges Treiben. Niemanden sah er zwischen den geparkten Wagen. Niemand sah jemand über den Drahtzaun springen. Niemand hat heimlich Gegenstände von sich geworfen.
Keiner der Augenzeugen sah jemand, der sich das Schuhband zuknüpfte. Niemand hörte das Rasseln von Rolläden. Niemanden sah er etwas ausspucken. Weder er noch sonst jemand hörte das Geräusch sich entfernender Schritte. Niemand sah den Lauf einer Waffe aus einem Fenster ragen. Niemand sah oder hörte Ziegel von Dächern fallen.
Als der Uniformierte dazukam, sah er niemand die Hände verstecken. Kein Kind wurde von einem Flüchtenden beiseite gestoßen. Niemand sah Rauchwölkchen aus Luken aufsteigen. Als er sich umdreht, sieht er niemand schnell in Schaufenster blicken.
Niemand spielte mit Knallfröschen. Niemand hielt sich ein Taschentuch vor das Gesicht. Niemand verschwand eilig in einem Kino.
Niemand sah jemanden die Hände waschen. Niemand bemerkte in einem leeren Raum Pulvergeruch.

Niemand aus einer Gesellschaft ist für kurze Zeit an die frische Luft gegangen.
Niemand hat sich mit Kopfschmerzen früher zu Bett gelegt.
Niemand ist abgereist.
Niemand hat jemanden einen Strumpf wegwerfen sehen.
Niemand hat aus der Nase geblutet.
Niemand hat gedroht.
Niemand hat gelacht.
Niemand hat den Wasserhahn so stark aufgedreht, daß der Schrei nicht zu erkennen war.
»Alles wird wieder, wie es war!«

4 Die Entlarvung der anfangs gezeigten Ordnung

Daß vor dem Mord eine scheinbare Ordnung gezeigt wurde, ist nur die List der Mordgeschichte gewesen. Diese Ordnung erschien nur jemandem, der dazukam, als Ordnung. Sie ist nur eine Ordnung des ersten Blicks gewesen. Erst als auch diese Ordnung der Erscheinungen durch den offenen Mord gestört wurde, wurde im nachhinein die vorher beschriebene Ordnung bedeutsam. Durch den Mord wurde die Ordnung zum Teil einer Geschichte der Unordnung. Dadurch, daß der Mord die Ordnung entlarvte, kam die Zeit ins Spiel, das heißt, die Zeit, die war, bevor der Fremde dazukam, und in der die Voraussetzungen für die Unordnung entstanden.

Die Ordnung ist nur eine Ordnung der Sinne gewesen. Nach dem Mord jetzt muß diese einstige sinnliche Ordnung überprüft werden. Die Gegenstände, Menschen und Dinge, aus denen die Ordnung gebildet war, werden in mögliche Beziehungen miteinander gesetzt, in Beziehungen des Ortes und der Zeit. Die Ordnung, die sich den Sinnen zeigte, kann es wirklich nie gegeben haben.

Die Gegenstände werden geprüft, ob eine Beziehung zwischen ihnen und dem Gegenstand, um den es jetzt geht, dem Toten, in Frage kommt.

Es werden Personen geprüft, ob sie Beziehungen unmittelbar zu dem Opfer gehabt haben. Es werden Sachen geprüft, ob die Person des Opfers Beziehungen zu ihnen gehabt hat. Es werden Personen geprüft, ob sie Beziehungen zu Sachen gehabt haben, zu denen auch die Person des Opfers Beziehungen gehabt hat. Es wird geprüft, ob Sachen des Täters, die dieser nach dem Mord zurückließ, auf Beziehungen hindeuten, die eine Person, von der man weiß, daß sie Beziehungen zum Opfer gehabt hat, auch an dieser zurückgelassenen Sache gehabt hat. Es wird geprüft, ob Sachen, von denen man weiß, daß sie vorher in Beziehung zur Person des Opfers gewesen sind, nach der Tat in Beziehung zu andern Personen sind. Es werden Personen geprüft, von denen man weiß, daß sie in Beziehung zur Person des Opfers gewesen sind, ob sich diese Beziehung verändert hat. Es werden Orte geprüft, ob sie in Beziehung sind zu dem Ort, an dem der Mord geschehen ist. Es wird geprüft, ob die Beziehung einer Person, die entweder mit Sachen des Opfers oder unmittelbar mit der Person des Opfers in Beziehung gewesen ist oder die

nach der Tat Beziehungen zu Sachen des Opfers hergestellt hat, zum Tatort und zur Tatzeit möglich ist.
Es wird versucht, im nachhinein die Beziehungen festzustellen, die der, der dazukam und nur sah und hörte und roch, nicht sehen, hören und riechen konnte.
Es geht jetzt um die Geschichte der Unordnung, die verschwiegen worden ist, während aus List die andre Geschichte der Ordnung vor sich ging.
Es geht um die satzweise Zusammenstellung der wahren Geschichte.
Während die Geschichte der Ordnung nur in der Gegenwart und nur an einem Ort abgelaufen ist, geht es jetzt bei der Entlarvung der Ordnung um die Zeit vor dieser Gegenwart, um andere Orte als den Tatort.
Für die Mordgeschichte, die als Fortsetzung einer andern Geschichte begann, wird jetzt eben diese andere Geschichte gesucht: die vorhandenen Gegenstände werden auf ihre Vergangenheit untersucht. Die Aufzählung der Unordnung hat dieser Untersuchung gedient. Von den aufgezählten Gegenständen der Unordnung soll abgelesen werden können, wie es zu dieser Unordnung gekommen ist.
Der Dazugekommene, von dem die Geschichte ausgeht, hat sich ablenken lassen, weil er nur auf Handlungen gesehen hat, nicht aber auf den oder die Verursacher der Handlungen. Im Augenblick der Tat hat für ihn der Mörder nur aus Handlungen bestanden.
Das Ungeklärte beunruhigt ihn jetzt. Es beunruhigt ihn, daß er zwar das Ergebnis einer Bewegung gesehen hat, aber nicht die Bewegung selber.
Es beunruhigt ihn das Fehlen des Ausgangspunkts einer Linie.
Nachdem er sich selber gefragt hat, fängt er andere zu fragen an.
Als Außenstehender kann er ungezwungen fragen. Ein Dazukommender ist neugierig. Er möchte selbstverständlich die Verhältnisse kennenlernen.
Dennoch erregt er Mißtrauen, weil an dieser Stelle der Geschichte jede Frage und jeder Frager, den man nicht kennt, Mißtrauen erregen müssen.
Es ist vielleicht schon zuviel, wenn er jemanden nach dem Wohlergehen fragt.
Er muß etwas bemerkt haben, was niemand sonst bemerkt hat. Die Hindernisse, auf die der Fragende auf dem Weg zu der wahren Geschichte stößt, ergeben die neue Geschichte, die sich aber um die alte dreht.
In diesem Kapitel der Mordgeschichte stößt der Fragende nur auf Hindernisse.
Der Mörder wird bereits genannt, aber nicht als Mörder:

Immer wieder wird die Frage nach der Zeit gestellt.
Zu Lebzeiten hat er viel jünger ausgesehen. Nachdem der Hausierer den Brief in der Tasche hat verschwinden lassen, schaut er schnell um sich. Jetzt, da das Opfer nicht mehr lebt, spricht man bei ihm von einer Vergangenheit. Er hat mit niemandem darüber gesprochen, was er vorher getan hatte und was er später tun wollte. Er ist bei keinem Geräusch zusammengezuckt und hat keinen Gegenstand länger angestarrt als die andern. Der Ermordete ist der zweite von links.
Der Hausierer erblickt die Beine einer alten Frau. Sein Tonfall ist so, daß der Satz nicht als Frage, sondern als Behauptung aufgefaßt wird. Er hat so gelebt, daß sein unnatürlicher Tod ganz natürlich erscheint.
In dieser Straße kennt jeder jeden. Gierig schlägt er die Zeitung auf. Das Schwarz hat er zuerst für Rot gehalten. Der andere Teilnehmer hat sich sofort gemeldet, obwohl er doch zum Hörer eine Stufe hätte hinunterlaufen müssen. Das Bett sieht so aus, als sei es nur nachträglich in Unordnung gebracht worden. Er hat nicht auf die Uhr geschaut, weil es so dunkel war. Sogar wenn er sich jetzt selber berührt, ist ihm die Berührung unangenehm.
In dieser Beleuchtung sehen alle Flüssigkeiten gleich aus. In den Kniekehlen bemerkt er rötliche Furchen. Seine Arme bewegen sich lächerlich, wenn *er* sich bewegt. Daß jetzt alle bekleidet sind, findet er seltsam. Die Hauswände haben hier schreiende Farben.
Sie erschrickt erst, als sie gefragt wird, wann sie ihn zum letzten Mal gesehen habe. Plötzlich will niemand etwas mit Eigentumsrechten zu tun haben. Wenn er Hausierer ist, so hat er sich eine schlechte Zeit für einen Besuch ausgesucht.
»Lesen Sie denn keine Zeitungen?«
Er streift auf dem bloßen Pflaster die Schuhe ab. Er legt den Kopf in den Nacken, um zu zeigen, wie sehr seine Nase geblutet hat. Das Haus gegenüber ist unbewohnt. Er hat im Blitzlicht die Augen geschlossen. Wer ist in diesem Augenblick allein gewesen? Der Hund beschnüffelt den Boden. Er fährt vor dem Körper zurück. Er wartet mit angehaltenem Atem auf die Pause in dem Gespräch. »Dieser Handschuh hat nichts mit mir zu tun!« Als er über das Kanalgitter geht, wird ihm kalt. Er stellt die Fragen zum Zeitvertreib. Bis jetzt hat er sich nie um Zusammenhänge zwischen Gegenständen gekümmert.
In jeder Gestalt findet er auf einmal die Ähnlichkeit mit der Gestalt

des Toten. Er klopft an die Tür, wie jemand, der damit rechnet, willkommen zu sein. Er zieht den Nacken ein, als der Honigtopf über seinen Kopf auf seinen Platz gestellt wird. Es macht ihn neugierig, daß sie inmitten dieser Unordnung so eifrig die Wäsche wäscht.

Der Scheinwerfer läßt ihn geblendet in der Dunkelheit zurück. Die Knöchel sind angeschwollen. Das Gesicht des Gegenübers verrät nichts. Der Schlauch ist zum Säubern eines Autos verwendet worden. Gefaßt, auf etwas Hartes zu treten, erschrickt er über das Weiche. Der Inhaber der Wohnung ist verreist. Das Atmen hinter der Tür, wenn es ein Atmen ist, hört auf. Der Gefragte runzelt die Stirn als Zeichen, daß er noch nie von der Sache gehört hat. »Das sind keine Ölflecken!« Er muß wieder an die auseinandergefallenen Füße des Toten denken.

Es ist kein Gegenstand, der den Besitzer wechseln könnte.

Die Schwierigkeit, sich mit ihnen zu unterhalten, besteht darin, daß er über die alltäglichen Dinge nicht so viel weiß, daß er im Gespräch den Übergang zu den nicht alltäglichen Dingen finden könnte.

Die Bürste liegt mit den Borsten nach oben. Diesen Schrei kann er jetzt nicht mehr ernst nehmen. Er will etwas wegblasen, das sich als fest herausstellt. Die Vögel geben beunruhigende Laute von sich. Das Kind hebt zwei Fäuste. Er muß sich hüten, die Änderung der Fragerei in die Fragen merken zu lassen. Hier hat ein schwerer Gegenstand gelegen! »Ich habe ihn nur vom Sehen gekannt.«

Darauf gefaßt, etwas Bitteres zu schmecken, schmeckt er etwas Süßes. Er verfolgt den Gegenstand bis zu seiner Herstellung zurück. Er macht einen weltläufigen Eindruck. »Viele Frauen tragen Schuhe mit hohen Absätzen.« Der Hausierer nickt einmal zuviel.

Die Herkunft eines Schecks läßt sich ermitteln, die eines Geldscheins nicht. Zur fraglichen Zeit ist der Gefragte immer in Gesellschaft gewesen. Unmittelbar danach ist er mit einer zu Ende gerauchten Zigarette angetroffen worden. Es riecht nach nasser Seife. Er hat die Waffe angefaßt, ohne zu wissen, womit er es zu tun hatte. Als er die Arme überkreuzen möchte, bemerkt er in der einen Hand einen Gegenstand. Der Lügner schaut ihm starr in die Augen.

Es wundert ihn, daß jeder, den er trifft, gerade mitten in der Beschäftigung mit harmlosen Dingen ist. Man muß den Speichel auf der Rückseite der Briefmarke untersuchen! Es gibt nichts, womit

er drohen könnte. Allmählich bringt er die Sprache auf das Verfängliche. Er sitzt auf dem Schotterhäuschen und sagt Wörter, die es gar nicht gibt.
Der Gegenstand ist schon durch viele Hände gegangen. Die Linie vom fraglichen Ort zum Tatort ist für die Zeit zu lang. Der Faden hat gemeinsame Merkmale mit dem anderen Faden. *Immer hat auch eine Frau mit der Geschichte zu tun.* Der Hausierer antwortet sich selber. Da die Form der Tropfen länglich ist, sind die Tropfen von einem Laufenden gefallen. Was er redet, ist bis jetzt erst der Vorwand. Früher sind die Wäscheklammern noch unanständig unbenutzt gewesen.
Trotz der gesenkten Lider betrachtet er sein Gegenüber genau. Er hat seit Tagen das Haus nicht verlassen. Der Hund hätte bei einem Fremden anschlagen müssen. Warum kommt ihm alles so aufgeräumt vor?
Obwohl sie schon lange reden, ist er bis jetzt nicht zum Sitzen aufgefordert worden. Er benützt das Waschbecken als Aschenbecher. »Tot ist gar kein Wort dafür.«
Jedesmal, wenn er die Flüssigkeit anschaut, leckt er sich mit der Zunge über die Lippen. Die Schuhe des Gefragten sind auffallend dunkel. Die zweite Kugel hat den Fallenden wieder aufgefangen, während die dritte ihn kreiseln ließ. Die Kinder des Toten kuscheln sich in die Betten des Nachbarn. »Sie haben zuviel Kriminalromane gelesen!«
Die Finger des Gegenübers öffnen feierlich die Zigarrenkiste. Das Gesicht zeigt nichts. Er liegt auf dem Bauch. Die Schuhe sind mit einem Blatt abgewischt worden. Die Stulpen werden umgestülpt. Die Glassplitter sind so klein, daß er nicht hört, wie sie in den Kübel fallen. Er rührt nichts mit den Fingern an.
Als er den Raum betritt, täuscht er mit seinen Bewegungen eine Unsicherheit vor, als betrete er den Raum zum ersten Mal. Die hellen Flecke auf dem Rock sind schwarz gerändert. Der Ausguß geht ihn nichts an. Die Tat ist schon alt geworden.
Nachdenklich steht er vor der Besenkammer. Nachdem er gefragt hat, spielt er ausführlich mit einem Gegenstand. Er überlegt, was von seiner Erinnerung er vernachlässigen könnte. Er versteht nicht, was die Leute am Nebentisch reden, aber er hört immer wieder denselben Sprachfehler. Als er die Tür schließt, reißt ihn der eingeklemmte Zipfel des Mantels zur Klinke zurück.
Er sieht der Frau die Aufräumwut an. Er ist zu träge, stehenzu-

bleiben. Die Hand muß lange im Wasser gelegen haben. Plötzlich kann er es nicht aushalten, sich nicht umzudrehen. Kein Hut liegt auf der Straße. Er starrt das letzte an, was das Opfer gesehen hat. Er reibt sich nachdenklich die Hände. *Dieser* Schreck kann nichts mehr heilen.
Seine Bewegungen sind ihm schon so in Fleisch und Blut übergegangen, daß sie seine Worte nicht mehr ablenken können. Das Gesicht der Frau, die die Tür aufmacht und *ihn* draußen stehen sieht, ist ein *Bild* der Enttäuschung.
Der eine behauptet vom andern, ihn nicht zu kennen. Er weiß nicht mehr, wie er hereingekommen ist. Er ist nur beruflich hier. Er schaut durch die Spionglasscheibe. Die Haarwurzel hat eine andere Farbe als die Haarspitze. »Wenn der Mörder keinen Grund zum Anfangen gehabt hat, hat er auch keinen Grund aufzuhören.« Der Hausierer hat so viele unwahrscheinliche Tatsachen erlebt, daß es ihm jetzt nicht schwerfällt, eine zu erfinden. Als sie einander begrüßen, sind sie uneins, wann sie aufhören sollen, einander die Hand zu schütteln, so daß der eine aufhört zu schütteln, während der andere noch weiter schüttelt, worauf in dem gleichen Augenblick, in dem auch der andere aufhört zu schütteln, der eine wieder anfängt zu schütteln.
Das Lächeln erreicht nicht seine Augen. Er vergleicht den Toten mit Lebendem. Es ist jener Augenblick vor der jähen Bewegung. Die Kugel gellt auf dem Pflaster. Ihre Stimme bebt. Der Gefragte hat schon so weit geatmet, daß er die Antwort nicht mehr zurückhalten kann.
Alle sind plötzlich an ihm vorbei die Straße hinuntergerannt. Die Bewegung ist zu schnell oder zu langsam, als daß er sie wahrnehmen könnte. Ein Fenster wird aufgerissen, aber sofort wieder geschlossen. Es gelingt ihm nicht, den vorbedachten Satz auch auszusprechen. Als er sich wieder umdreht, ist niemand mehr da.
Vielleicht ist ihm nur die Hand ausgerutscht.
Die Stille erzeugt einen Hustenreiz.
Sie hat die Hände vor das Gesicht geschlagen, nicht zum Schutz, sondern zur Tarnung.
Der Stein ist an der Unterseite feucht. Der Anblick des friedlich schlafenden Menschen erregt ihn. Als der Hausierer den Brief mit dem Fuß unten durch den Türspalt schiebt, wird es drinnen plötzlich still. Die Hände wühlen sich in den Haufen der Strümpfe. »Jede Leiche muß bestattet werden.« Lange Zeit bringt er die

Augen nicht auf. Der Stiefel auf der Straße hat ihn abgelenkt. »Und wohin sind Sie *dann* gegangen?«
Der Mund ist offen bis an die Grenze des Möglichen. Er spielt den Ahnungslosen zu ahnungslos. Er reizt sie, um ihr die Wahrheit zu entlocken. Hier riecht es nach verbrannten Haaren! Sie hat in dem Augenblick gerade gähnen müssen, so daß sie nichts sehen konnte.
Die Frage des Hausierers enthält bereits die Antwort. Er hebt die Stricknadel auf und betrachtet die Spitze. Der Boden ist lehmig. Er probiert die Frage an einem Gegenstand aus. Sie unterbrechen das Gespräch, bis er wieder außer Hörweite ist. Zwischen den zusammengepreßten Fingern ist ein Brei hervorgequollen. Er findet in dem Abfalleimer einen verbrannten Schuh. »Bei Nahschüssen entsteht ein Schmauchhof.« Die Jacke ist zu weit vom Körper weggebauscht, als daß dies durch die geringe Strömung des Wassers verursacht sein könnte. Sie weiß mit ihren Nägeln umzugehen. Der Hausierer ist neidisch auf den Hausierer der vergangenen Minute.
Der Kanaldeckel ist zu klein für den Koffer. Vor einem bestimmten Wort wird das Gespräch einen Sprung machen. Das Pferd scheut wieder an derselben Stelle. Ist der Kreidestrich an diesem Zaun ein Zeichen?
Er kann den Blick nicht von dem Gegenstand befreien. Plötzlich knarrt der Körper des Toten. Der baumelnde Hörer hat immer wieder dumpf gegen etwas geschlagen. Am hellichten Tag ist es so still, daß er den Wind wie einen Nachtwind hört. Er sieht der Frau an, daß sie ihre Zeit vor allem in Häusern verbringt. Er redet ganz selbstverständlich von sich selber. Der Hausierer erhebt sich ohne weiteres. Der Brief ist nicht freigemacht. Vielleicht haben ihm die Augen einen Streich gespielt. Er ist das Fragen gewöhnt.
Irgend etwas an dem Mann läßt ihn sofort an den Tod denken. Er versetzt sich in den Augenblick zurück, in dem die Feder aus der Polsterung des Sessels gesprungen sein muß. Das gewollte Lachen ermüdet ihn. Anstatt des Toten liegt jetzt ein Briefumschlag auf der Straße. Dieser Teppich ist für einen größeren Raum bestimmt! Ein Brieföffner kann leicht zweckentfremdet werden. Eine Kleinigkeit im Gesicht des Toten hat ihn neugierig gemacht. Er tritt auf einen Fleck, den noch nie jemand betreten hat. Er richtet die Frage scheinbar nicht an die Person, sondern an den Gegenstand. Obwohl niemand zu sehen ist, sieht das Zimmer be-

wohnt aus. Die Zigarettenstummel hinterlassen schwarze Flecken auf der Straße. Der Sterbende hat den nahenden Tod bis zuletzt für eine Sinnestäuschung gehalten.

Die Entfernungen der Gegenstände voneinander werden jetzt in Schußweiten gemessen.

Er stockt, um ihr Gelegenheit zu geben, etwas zu sagen. Vielleicht müßte er nur den Blickwinkel ändern, und er würde alles verstehen. »Sie müssen mich mit jemandem verwechseln!«

Die zweite Begegnung mit dem neuen Bekannten ist die schwierigste. Er hält sich von jeder Fensterscheibe fern. Nach irgendeinem Satz ergibt sich plötzlich eine Pause, nach der sie einander nichts mehr zu sagen haben. Ebensogut könnte er zu einem Stein sprechen.

Die Finger sind einwärts gekrümmt. Der Hörer gibt kein Geräusch von sich. Sie lehnt sich nach vorn, weil sie zu reden anfangen wird. Der Tote liegt oben im ersten Stock. Der Boden der Flasche ist abgeschlagen. *Als Unschuldige macht sie einen schlechten Eindruck.* Im Stiegenhaus ist der Hausierer in seinem Element. Der angebissene Apfel trägt noch die Spuren von Zähnen. Jedes Stäubchen ist umgedreht worden. Sie erinnert ihn an etwas, das es gar nicht gibt.

Ein Knall, und alle sind auseinandergestoben.

Als er aufschaut, sitzen einige Fliegen auf seiner Hand. Er glaubt nicht richtig zu hören. Sie nickt mit den Augen. Wie viele Türen es hier gibt! Vor Müdigkeit geht er noch einige Schritte über das Ziel hinaus. Die Türklinke ist zu abgegriffen, als daß man an ihr etwas erkennen könnte. Ungenützt stehen die Gegenstände herum.

Gibt es hier einen Platz, wo man ungestört reden kann? Der Gefragte pocht darauf, daß er Grundeigentümer ist. Als der Hausierer klopft, hört er drinnen überstürzte Bewegungen. Vor dem Haus steht ein unauffälliges Auto.

Darauf gefaßt, nur die Umhüllung zu betasten, treffen seine Finger plötzlich in einem Riß auf den kalten Gegenstand *in* der Umhüllung. Obwohl sie zu sehen ist, spricht sie mit verstellter Stimme. In allen Schränken stehen vergessene Sachen. Die Frage wird beantwortet mit einer anderen Frage. Er setzt sich so weit von ihr weg, daß sie laut reden muß.

Plötzlich wird er wieder gesprächig. Im Augenblick des Knalls sind die Vögel aufgeflattert und der Verputz ist von der Decke gefallen. Sie verkauft ihre Antworten als Waren. Mitten in der Geschäftszeit ist das Geschäft geschlossen. Sie hat sich bei dem Geräusch nichts gedacht. Jemand ist auf die Telefonzelle zugelaufen. Der Nadelstich ist kaum erkennbar. Solange noch Flüssigkeit nachdringt, rinnt das Rinnsal weiter. Kein Vergleich drängt sich ihm auf.

Dieses Bild zeigt das Opfer noch in glücklichen Tagen. Sie verrät durch eine kleine Bewegung, daß sie schon einmal hier gewesen ist. Telefon und Türklingel läuten gleichzeitig. Der Gegenstand ist durch zu viele Hände gegangen. Der Teppich dämpft das Geräusch seiner Schritte. Die Tür, die er zuschlägt, springt wieder auf. Der Leichnam ist eine Zahl in einer Reihe. Immer wieder überzeugt er sich von offenkundigen Dingen. Die Musik erleichtert seine Bewegungen. Sie zählt alles auf, was sie besitzt. Als er sie anschaut, schaut sie gerade weg, aber als sie, die seine Blicke bemerkt hat, jetzt zu ihm schaut, hat *er* schon wieder weggeschaut, und als jetzt *er*, der ihre Blicke bemerkt hat, wieder hinschaut, hat *sie* schon wieder weggeschaut. Versehentlich beißt er auf das Papier, in das die Schokolade gewickelt ist. Sie antwortet, bevor er noch gefragt hat. Sie hat keinen Schlüssel zu einem Zimmer. »Sie denken zuviel!«

Um festzustellen, ob *er* es ist, der sich spiegelt, bewegt er sich. Nach seinem spaßhaften Satz entsteht eine Pause, in der der spaßhafte Satz allmählich ernst wird. Sie kennt niemanden, auf den die Beschreibung passen könnte. Es hat so ausgesehen, als laufe er, aber als er näher kam, schlenderte er. Sie wirkt sehr lebenslustig.

Nach dem Geräusch sucht er sofort nach der Bezeichnung des Gegenstands, durch den das Geräusch entstanden ist. Als sie merkt, daß er sie ansprechen will, wendet sie sich schnell ab. »Woher wissen Sie meinen Namen?« Er erkennt an ihren Augen, daß sie aufstehen wird. Die Katze sucht mit den Pfoten hinter dem Spiegel nach sich selber. Das Glas fällt so zu Boden, daß es ganz bleibt. Der Hausierer vermeidet ihr gegenüber unerwartete Bewegungen. Er hat sofort gesehen, daß der Mann nichts in der Hand hatte. War es ein Knall oder ein Krach? »Wenn ein Geschoß aus einer gegebenen Waffe gefeuert wird, prägen sich in das Geschoß die Merkmale der Waffe ein.«

Nachdem sie einander gegrüßt haben, wissen sie nichts mehr zu sagen und stehen tatenlos herum. Er schmeckt plötzlich den Käfer an dem Apfel. Sie legt den Finger auf den Mund.

Er hält den Atem an, um nichts zu überhören.
Als er plötzlich schlechter *hört,* glaubt er zuerst, schlechter zu *sehen.*
Als er wieder aufschaut, erscheint sie ihm anders, als er sie bei gesenktem Kopf in Erinnerung hatte.
Er hat sich nicht auf den äußersten Rand des Sessels gesetzt. Ihre Stimme bebt vor Zorn oder vor Angst. Die Fragen haben den Gefragten schwindlig gemacht. Er glaubt sich gerufen, obwohl es nur ein Geräusch war. Sie findet den Verschluß des Behälters nicht. Sie spricht so, daß er den Mund nicht sieht. Obwohl es schon kühl ist, ist die Wand immer noch warm. Alle Fenster sind geöffnet, aber leer.
Das Opfer hat bei ihr nie über andere Leute geredet. Scharfkantige Steine gibt es überall. Vergebens versucht er sie dazu zu überreden, daß sie das Wort wiederholt. Auf seine eigene Frage wüßte er keine mögliche Antwort.
Das Hemd des Toten ist offen gewesen, weil man das Herz abgehorcht hat.
Er muß noch gewaschen werden.
Sie schaut ihn verständnislos an. Er ist müder als die Gefragten. Viele hier tragen solche Handschuhe. Der Name sagt niemandem etwas. Keine Einzelheit zeigt auf eine andere Einzelheit. Er kann sich nicht mehr vorstellen, wie spät es ist. Sie sitzt ihm gegenüber in einem leeren Stuhl. Er weiß nicht, wie er weiterreden sollte, weil er an keiner Antwort Widerstand findet. Er sitzt da mit der Schwermut dessen, der keinen klaren Gedanken fassen kann.
Er sagt etwas.
»Milch oder Tee?«

5 Die Verfolgung

Dem Versuch, durch Befragung der Personen und durch Untersuchung der Gegenstände von der ursprünglichen Unzahl der Möglichkeiten zur einzig möglichen Tatsache zu kommen, begegnet der Versuch, es bei der Unzahl der Möglichkeiten bleiben zu lassen oder zumindest eine Beschränkung auf die einzig mögliche Tatsache zu verhindern oder aber den Frager durch falsche Antworten oder durch falsche Anordnung von Gegenständen zu der falschen einzig möglichen Tatsache abzulenken.
Wenn jedoch der Fragende, wie es in der Regel in der Mordgeschichte geschieht, sich nicht ablenken läßt durch Handlungen, die mit List sein Urteil unmöglich machen sollen, so werden jetzt Handlungen gesetzt, die gewaltsam sein Urteil unmöglich machen sollen, indem sie sich unmittelbar gegen seine Person richten und versuchen, durch seine Beseitigung allen Fragen ein Ende zu machen.
Die List der Handlungen früher hat darin bestanden, daß die Handlungen gar nicht als gewaltsame Handlungen erkennbar sein sollten, während die gewaltsame Handlung jetzt zumindest für den, gegen den sie sich richten wird, sogleich als gewaltsam erkennbar wäre. Würde er wirklich beseitigt, könnte freilich wieder die listige Handlung einsetzen, die ihn und die Gegenstände um ihn so anordnet, daß er entweder wieder nichts zeigt oder wieder auf die falsche Tatsache zeigt. Er liegt mit zerschmettertem Schädel neben einem Felsblock am Fuß eines Felsens. Er täuscht einen Unfall vor.
In der Mordgeschichte ist an dieser Stelle der Betreffende in der Regel unterwegs zu einer weiteren Untersuchung oder Befragung. Er hat schon etwas gefunden, was die Zahl der Möglichkeiten beschränkt, und er ist auf dem Weg zu einem Ergebnis, das die Zahl der Möglichkeiten weiter beschränken könnte. Um die jetzt drohende Bezeichnung der Mordhandlung als seine Handlung zu verhindern, muß der Mörder wohl oder übel wieder handeln.
Er folgt dem Betreffenden oder er läßt ihn verfolgen. In der Geschichte sagt dem Verfolgten das unbestimmte Gefühl, daß er verfolgt wird.
Um sich zu vergewissern, blickt er sich nicht um, sondern nimmt ungewöhnliche Wege, verändert Richtungen, wechselt zwischen Bewegung und Stillstand, ändert jäh die Geschwindigkeit, mit der er sich weiterbewegt.

Er nimmt jedoch nicht solche Wege, daß der Verfolger bemerkt, daß der Verfolgte ihn *bemerkt hat. Er hält sich unter Leuten auf, aber nicht unter so vielen Leuten, daß der Verfolger sich* nachher *unbemerkt davonmachen könnte. Er bleibt bei Leuten stehen und unterhält sich mit ihnen, obwohl er sich noch nie mit ihnen unterhalten hat.*
Er redet Unsinniges, um auf sich aufmerksam zu machen. Er tut etwas, was allgemein nicht gebilligt wird, weil er meint, daß man eher auf ihn aufmerksam wird, wenn man etwas mißbilligt.
Er benimmt sich ungewöhnlich, um wenigstens einen mehr auf sich aufmerksam zu machen, als den, der gegen seinen Willen auf ihn aufmerksam ist.
Der Verfolger wird nur beschrieben in den Geräuschen, die er verursacht, oder in den Geräuschen, die er, weil er der Verfolger ist, nicht verursacht. Wenn er selber beschrieben wird, dann so, daß er weder erkennbar noch später wiederzuerkennen ist. Die Hände sind in der Regel verborgen, jedenfalls eine *Hand, den Hut hat er in die Stirn gedrückt, das Gesicht ist in der Regel im Schatten.*
Der Verfolgte, der sich nie umdreht, benützt deshalb alle Gegenstände, die ihm zumindest Abbildungen geben von dem, was hinter ihm ist. Er, als der Gegenstand der Aufmerksamkeit, ist selber die Aufmerksamkeit in Person. Seine Aufmerksamkeit bezieht sich nicht nur auf den Verfolger, sondern vor allem auf den eigenen Körper, der das Ziel der Verfolgung ist. Er weiß, daß zu irgendeinem Zeitpunkt der hinter ihm die Verfolgung in ein Treffen verwandeln will. Auf diesen Zeitpunkt muß er die ganze Zeit gefaßt sein. Er weiß, daß der andere ihm nicht nur folgt: das Ende der Verfolgung wird der Versuch des Verfolgers sein, ihn zu erreichen. *Auf diesen Augenblick wartet der Verfolgte. In diesem Augenblick wird es darauf ankommen, die Rollen zu vertauschen.*
In der Mordgeschichte ist es, an dieser Stelle, in der Regel so, daß der Verfolger den Verfolgten erreicht:

Der Hausierer geht an einer Mauer vorbei.
Der Koffer kommt ihm nicht ganz leer vor. Er hat sich rittlings auf einen Stuhl gesetzt, der mit einer breiten Metallehne wenigstens seine Brust schützt. Er könnte den Ort mit geschlossenen Augen wiederfinden. Er übt sich im Ausweichen. Es ist jetzt schon so dunkel geworden, daß er keinen Menschen mehr in seiner Wohnung behelligen kann. Niemand lacht. Er möchte nicht mehr zählen können. Er erblickt den Schatten des Kameramannes auf

dem Foto. Die Tür hinter ihm schließt sich geräuschlos. Er lernt die Sprache aus den Verbotsschildern. Er ist sehr wortfaul geworden. Die Spuren zeigen keine Bewegung zuende. »Hat bei Ihnen jemand ein Auto waschen lassen?« Das Opfer ist in einer Haltung umgefallen, als wollte es sich hinten um den Knöchel greifen. Zitronenschalen hängen im Drahtzaun. Das Haar ist abgequetscht.

Was ragt da aus dem Schlamm? Einen Augenblick weiß er nicht, ob die beiden Gestalten im Dunkeln aufeinander zugehen oder schon voneinander weggehen. Erst nachdem man ihm den Namen gesagt hat, weiß er wieder, daß der Gegenstand ein Messer ist. Er hat die Sonne noch ausnützen wollen. Als er den Rock auf den Nagel hängt, reißt die Schlaufe. Er ist noch nicht lange da. Niemand sieht ihm an, daß er feuchte Hände hat. Hinter einem Fenster sieht er eine Kerze flackern, während überall sonst das elektrische Licht brennt. Dieser Blechstreifen hat beim letzten Mal noch nicht hier gelegen!

Er verfolgt ein Blatt, das vor ihm herrutscht. Er macht um harmlose Dinge einen Bogen, als hinge sein Leben davon ab. Ohne Anlaß schlägt er einen Haken. Die Last auf dem Rücken treibt ihn hin und her, so daß er ein unsicheres Ziel bietet. Gut, daß er keine Uhr bei sich hat, so daß er nicht nach der Zeit gefragt werden kann, wobei er hinunterschauen müßte!

Er bemerkt Strohhalme an seinem Mantel. Warum ist der Boden gerade hier so festgestampft? Das Kind bläst den Papiersack auf. Er achtet auf jede außerordentliche Bewegung. Die Wunde ist nicht ausgefranst gewesen. In der völligen Finsternis verrichtet er seine Notdurft. Er weiß gar nicht, wie lange er schon umhergegangen ist. Er tastet über die Oberfläche des Teppichs. Er hört nur den eigenen Atem. Die Asche ist wärmer, als er gedacht hat.

Schon von weitem suchen sich die Entgegenkommenden einen Gegenstand aus, auf den sie schauen können, bis sie aneinander vorbei sind.

Die Tür ist versiegelt. »Weil er ohne festen Wohnsitz ist, kann seine Tätigkeit nicht überwacht werden.« Dem Fragenden fällt keine Frage mehr ein. Der Rücken juckt ihn. Er drückt die Klinke nach und nach hinunter, bis er merkt, daß die Tür verschlossen ist. Es hat nicht so ausgesehen, als habe sich der Tote den Hut selber aufgesetzt. Sogar das Rauschen des Mantels beunruhigt ihn beim Gehen. Die Matratze ist verfault. Er hört Stimmen im dunk-

len Garten hinter dem Zaun, während er auf der hell erleuchteten Straße geht.
Ein fester Gegenstand fällt auf einen flüssigen. Er wäscht sich in einer Pfütze die Hände. Das Tragen kommt ihm schon gar nicht mehr wie eine Tätigkeit vor. Er streckt einen falschen Arm aus dem Rock. Wenn er diese abschüssige Stelle hinunter zu laufen anfängt, wird er nicht mehr rechtzeitig stehenbleiben können.
Er unterhält sich gerade so angeregt, daß man ihn noch zuende plaudern läßt. Als er über den Schlauch steigt, hebt er die Knie möglichst hoch. Er *lebt*. Die Tür geht nach innen auf. Nur ein Hausierer trinkt so aus der hohlen Hand. Zum Telefon, das läutet, sagt er, er komme ja schon. Der Wind allein kann die Kleider nicht in eine derartige Unordnung gebracht haben.
Wider Willen hört er gespannt zu. Er übt, sogar im Schrecken zu beobachten. Brauchte er jetzt Hilfe, würde er mitten in dem menschenleeren Raum nicht fragen, ob *jemand* da sei, sondern ob *niemand* da sei. Er kann sich auch in kein Unterholz verkriechen. Der Ausguß hat kein Gitter. Langsam greift seine Hand unter die Polsterung. Er geht so leise, daß nicht einmal die Ratte unter dem Fußboden still wird. Auf den gleichen Platz würde auch er sich setzen, wenn er jemanden überwachen wollte.
Er preßt mit der bloßen Faust die Zitrone aus. Er schaut auf jeden, der eine gebauschte Jacke trägt. Plötzlich spricht er mit merkwürdig dumpfer Stimme. Solange er im toten Winkel steht, kann er sicher sein. *Nur die Angst des Verfolgten darf beschrieben werden.*
Alles in ihm drängt nach außen. Der Weg kann als Fluchtweg dienen. Seine Nasenlöcher haben weiße Ränder. Jedes Geräusch ist ihm zu laut. Auf einmal bilden sich aus der Flüssigkeit Kristalle. Ein Schalldämpfer verdirbt das Gleichgewicht der Waffe.
Es ist vielleicht nur ein Kind hinter ihm, das alle seine Bewegungen nachahmt. Zittert der Vorhang oder bewegt sich jemand dahinter? Im Dunkeln schlägt er die Augen auf. Jetzt fangen alle schon an, sich voneinander zu verabschieden. Der im Winkel Hockende steht plötzlich auf. Wenn er läuft, ist er blind für die Umgebung. Jemand legt ihm die Hand auf die Schulter, aber er fährt nicht herum. Es ist ein beruhigender Schrei.
Während er atemlos drinnen sitzt, hört er, wie jemand draußen an der Tür hantiert, die ohnedies offen ist. »Das Lächeln erreicht nicht seine Augen.« Der Schatten einer fremden Hand verdunkelt das Gesicht des Schlafenden. Die Erinnerung verletzt ihn schon

nicht mehr. Sie reicht ihm ihre nassen Finger. Die schön still stehenden Gegenstände bringen ihn wieder zur Vernunft. Ein Vogel lockt ihn zum Auffliegen. Er hilft sich selber in den Mantel. Er hebt die Hand zum Klopfen, läßt sie aber dann wieder sinken und geht weiter. Das Schild bezeichnet eine Sackgasse! Wie, wenn der vermeintliche Verfolger nur deshalb so dicht hinter ihm geht, weil er sich selber verfolgt glaubt? Hinter ihm wird der Schlüssel zweimal umgedreht. Warum sind alle plötzlich so höflich?

Er kann nicht erkennen, ob der Gegenstand sich bewegt. Die Tür *will* sich nicht schließen. Diese Finsternis ist eine Strafe. Er überläßt die Frau sich selber. Vor Hunger erscheint ihm auch die Mauer genießbar. Im Vorbeigehen sieht er die Kugelspuren auf dem Pflaster. Seine Hand ist unnatürlich untätig. Er wagt es nicht, sich zu setzen. Das Lachen ist das Lachen eines Mannes.

Er bleibt auf der Stiege so stehen, daß ein Fuß schon höher ist als der andre, zum Weiterlaufen bereit. Jemand kratzt mit einem Nagel über die Scheibe. Als er das Glas wieder schüttelt, haben sich die Eisstücke schon aufgelöst. Der Strumpf hat an der Ferse ein Loch! Das Gesicht hinter ihm ist im Spiegel zu dunkel. Der Tropfen klatscht aus größerer Höhe auf die Erde.

Die erste Tür, wenn er drinnen ist, ist nach außen zu öffnen, die zweite nach innen, so daß er zwar ohne Gefahr eintreten kann, aber gefangen ist, wenn er schnell wieder hinaus will. Das Stäubchen auf dem Teppich läßt ihm keine Ruhe. Das Zündholz steht jetzt senkrecht zur Reibfläche. Der andere wendet den Kopf nicht ab, wenn er ihn anschaut. »Er trägt unter der ausgebeulten Jacke mehr als nur ein Hemd.«

Gerade noch hat er so viel gesprochen, daß sein Verstummen jetzt auffallen muß. Er hält in der Hand einen Fischkopf. Er redet zwanglos. Niemandem fällt etwas an ihm auf. Jeder dieser Behälter kann zugleich ein Versteck sein. Er greift nur mit der *rechten* Hand nach dem Lichtschalter. Er leckt häufig mit der Zunge über die Lippen. Er stellt sich freundlich und hilfsbereit. Er sieht es nicht gern, wenn leere Flaschen herumstehen. Er verwickelt sein Gegenüber in ein Gespräch. Als er auf den Zigarettenstummel tritt, sprüht noch ein Funke heraus.

Es beunruhigt ihn, daß ihm jetzt *niemand* zu folgen scheint. Alle haben sich die Hüte aufgesetzt und sind gegangen. Seine Adern weiten sich. Er hört Geräusche, als bewege sich jemand auf den

Zehenspitzen. Ein Lufthauch genügt, und der Schlüssel fällt ihm aus der Hand.

Er sucht auf der falschen Seite nach dem Schalter. Sandsäcke lagern vor der Mauer! Es ist das einzige Gebäude weit und breit. Ob er sich umschaut oder ob er sich nicht umschaut: beides muß Argwohn erregen.

Er hat den Gegenstand schon vor langem dort hingestellt, und erst jetzt fällt er um. Dieser Schrecken macht ihn wenigstens selbstbewußt. Während er spricht, steht ein gefüllter Aschenbecher unter ihm. Er hat schon einmal ohne Erfolg angerufen. Er betritt einen Raum ohne Einrichtung. An den verfaulten schwarzen Früchten bemerkt er weiße Schimmelflecken. Er könnte nur in die Ecke zurückweichen. Die Mauer macht ihm nicht Platz. Ein scheinbar Betrunkener hat unter seinem Tisch gelegen und zu ihm herauf gestarrt. Er kann ohne weiteres durch das Fenster schauen. Vielleicht hat der andere nur den gleichen Weg. Er kann sich verhört haben. Er beobachtet den Gegenstand wieder und wieder, als sei ihm etwas an ihm entgangen. Er hört auf zu atmen, um zu lauschen. Der leere Sessel schaut ihm entgegen.

Er spricht alle Wörter falsch aus. Die Hand, mit der er etwas will, wird übersehen. Er sagt allen Umstehenden, welchen Weg er gehen wird. Er behilft sich durch Seitenblicke. Weil er sich beobachtet weiß, werden auch die alltäglichen Unterlassungen so ausdrücklich, daß sie ihm wie Handlungen vorkommen.

Er stellt eine unnatürliche Bewegung in der Menge fest. Schon lange bevor sie an ihm vorbeigehen, verstummen sie. Kaum öffnet er die Tür, schlagen laut im ganzen Haus die anderen Türen. Er umspannt mit den Fingern beider Hände die eigene Kniekehle. Als die Kastanien auf die Straße gefallen sind, ist er schreiend zur Seite gesprungen.

Er schaut starr geradeaus, während er spricht. Jemand geht im Hintergrund auf und ab. Sein Körper kommt ihm auf einmal grenzenlos vor. Er läuft erst auf die Tür zu, nachdem der Schlüssel schon von draußen hereingestoßen worden ist. Er duckt sich. Er hat vergessen, was er sucht, aber er sucht weiter.

Er kann noch nicht sterben, es ist in der Geschichte noch zu wenig über ihn bekannt. Er nimmt als Vorwand zum Hinausgehen, daß er die Schuhe zubinden möchte. Bei jedem bleibt er stehen und fragt. Er übt andere Bewegungen, um nicht an den Bewegungen erkannt zu werden. Warum sind gerade hier die Regenflecken noch nicht

getrocknet? Er versucht, mit der freien Hand in die Innentasche des Mantels zu gelangen, aber zum Unglück ist die Tasche auf der Seite der freien Hand. Alle Gegenstände sind so angeordnet, als wären sie so angeordnet, um ihm aufzulauern.
Er wartet auf den unbewachten Augenblick. Schon zu lange hält er die Reste der Frucht in der Hand. Wenn sie ihn anschauen, ist er jedesmal im Weggehen begriffen, aber wenn sie wegschauen, macht er es sich wieder bequem. Ein Brett ist in den Schlamm gelegt worden! Der Wagen fährt so schnell, daß das Kennzeichen nicht zu erkennen ist. Infolge der Verwirrung der Gedanken leidet er an Atemnot. Als er sich erinnert, entsteht ein Märchen.
Wer lacht jetzt im Kino, die Spieler oder die Zuschauer? Eine Gestalt steht im Regen. Er überlegt, welche Bewegung die falsche ist. Der Beton ist noch weich. Das Geräusch quält ihn, weil er nichts sehen kann. Vom geheuchelten Lachen tut ihm noch das Gesicht weh. Das Gluckern im Kanal unter ihm trifft ihn unvorbereitet. Während er versunken einen Gegenstand betrachtet, wird seine Hand angefaßt.
Er grüßt nur zögernd und wachsam, um sich durch das Sprechen nicht ablenken zu lassen. Die größte Gefahr droht, wenn er in den Lichtkreis kommt und der hinter ihm den letzten Lichtkreis gerade passiert hat. Diese Zweige könnte er gut als Ruten verwenden! Er rammt den Stuhl unter den Knauf der Türklinke. Die offene Straße ist noch der sicherste Ort. Weil er hungrig ist, meint er, alle müßten hungrig sein.
Er schreibt mit Bewegungen, als suche er heftig nach etwas. »Die Spur, die beim Gehen durch das Abrollen des Fußes entsteht, ist größer als der Fuß selber.« Ein Krampf in den Zehen ist das letzte, was er jetzt brauchen kann. Die Türklinke ist brennend heiß. In der Meinung, es gehe noch eine Stufe hinunter, prallt er mit dem Fuß auf die Ebene auf. »Messerwunden sind glatt.«
Sie gehen in einer Zahl auf dem Gehsteig, daß sie nicht alle nebeneinander Platz haben, obwohl jeder seinen Platz behaupten will. Er begreift auf einmal nicht mehr den Verwendungszweck von Gegenständen. Je länger er beobachtet wird, desto mehr beschränkt sich die eigene Tätigkeit auf das Beobachtetwerden. Er gibt seinem Gegenüber etwas in die Hand, glaubt aber, daß der andere den Gegenstand noch nicht richtig gefaßt hat, und greift wieder nach dem Gegenstand, damit er nicht fällt, während der andere, der inzwischen den Gegenstand gefaßt hat, diesen an sich reißt, in dem

Glauben, er wolle ihm den Gegenstand nun doch nicht herausgeben, worauf er den Gegenstand sogleich wieder losläßt, so daß dieser, weil auch der andere inzwischen seinen Irrtum bemerkt hat und seinerseits den Gegenstand losläßt, zu Boden fällt.
Er flieht, obwohl er noch nicht zu laufen angefangen hat. Seine Geistesgegenwart muß so geübt sein, daß er sich gar nicht erst zu sammeln braucht, wenn es gefährlich wird.
Er spricht mit gänzlich veränderter Stimme. Jemand blinzelt heftig. Plötzlich ist es ihm unmöglich, den schon fertig vorbedachten Satz zuende zu sprechen. Mit Vergleichen könnte er seine Lage leicht beschönigen. Gerade noch hat er am Fenster gestanden, und jetzt steht er schon an der Tür! Er erstaunt über die Selbstverständlichkeit, mit der ihm bisher Gegenstände vertraut geworden sind. Er darf nicht an sich denken. Der Hund schnappt, ohne zu bellen.
Er ist in Schußweite. Er hört jemand auf sich zulaufen, aber einige Schritte hinter ihm bleibt der andere stehen und geht, wie auch er geht. Er nimmt eine Eigenschaft als Maske an. Er würde von niemandem vermißt werden. Die Straße ist ausgestorben.
Er hört, wie im Raum nebenan das Licht angeschaltet oder abgeschaltet wird. Nichts rührt sich. Vergebens möchte er seine Worte zurücknehmen. Er spielt ausführlich mit einem Gegenstand, mit dem er sich wehren könnte. Er hat keinen Regenschirm. Seine Unbefangenheit zeigt er dadurch, daß er nach dem Wetter schaut. Jeder Schritt will gut überlegt sein.
Wie ein Tier erschreckt ihn nicht die Bewegungslosigkeit, sondern die jähe Bewegung. Es ist gut, daß er schon steht. Er sucht verzweifelt Gesellschaft. »Haben Sie einen Unbekannten ins Haus gehen sehen?« Wenn er lacht, ist er wehrlos. Die gefährliche Bewegung wird eine vorbereitende Bewegung brauchen, an der er die Bewegung erkennen könnte.
Er darf sich nicht in eine Richtung zwingen lassen, die er nicht von selber ändern kann. Er betritt das Haus in ungewöhnlicher Eile. Er wagt es nicht, den Gegenstand aus der einen Hand in die andere zu geben, weil durch diese Bewegung einen Augenblick lang keine seiner Hände frei wäre. Er *will* den hinter ihm gar nicht sehen, weil er ihn später nicht erkennen möchte.
Er stolpert über die eigenen Füße. Mit dem Pfeifen möchte er seine Sorglosigkeit *zeigen*. Er geht kreuz und quer. Als er den fremden Raum betritt, läuft er sofort zum Fenster und schaut hinaus. Wenn er wieder Atem holen muß, wird er einen Augenblick

unaufmerksam sein. Jemand geht im gleichen Schritt mit ihm, so daß er die verschiedenen Schritte nicht trennen kann. Bevor er sich bückt, trifft er ausführliche Vorbereitungen zum Bücken, um seine harmlose Absicht zu zeigen.
Er kann kein Geräusch mehr vertragen. Von dem Flüstern erlauscht er nur die vielen Zischlaute. In jeder Gestalt, die sich nicht bewegt, sieht er den Verfolger. Er versteht nicht, was man von ihm will. Damit ihm die Zigarette nicht aus dem Mund fällt, legt er beim Lachen den Kopf zurück.
Er muß sich immer neue Fragen ausdenken. Er schreit den Gegenstand an, an den er im Dunkeln stößt. Er hält den knisternden Mantel fest, um nichts zu überhören. Wütend rührt er den Kaffee um. Nach dem Schreck jucken seine Achselhöhlen.
Er hat so lange getan, als höre er zu, daß seine Gesichtshaut taub geworden ist. Vorsichtig geht er an dem stehenden Auto vorbei. Bei der Probe muß er mehr aushalten als im Ernstfall. Niemand hebt zufällig den Kopf. »Ein Bierkutscher wirkt unverdächtig.«
Er wartet auf den Tropfen, der das Wasser in der Kanne plötzlich überlaufen lassen wird. Der Strich vor ihm ist ein Mund. Niemand geht mit aufgestelltem Mantelkragen. Durch den Schrecken werden ihm die Augen aufgerissen. Er steht stocksteif. Er kann nicht beobachten. »Das müssen nicht Damenschuhe sein!«
Auf einmal fällt ihm der Gegenstand aus der Hand, den er schon so lange gehalten hat, daß er ihn gar nicht mehr spürte. Sein Händedruck ist besonders fest. Als jemand ihn anspricht, lehnt er sich zurück. Der Entgegenkommende wendet sich ab, um nicht später bestätigen zu müssen, daß er ihn gesehen hat. Der Verputz an der Mauer wirft Blasen, die den Hausierer zum Eindrücken verlocken. Er stellt sich die Person vor, die den leeren Platz neben ihm besetzen wird. Er findet Geschmack an dem Holzspan. Man hört auf zu kehren, während er vorbeigeht, aber dann wartet er vergebens darauf, daß man weiterkehrt. Er bleibt so lange sitzen, bis überall Stühle auf die Tische gestellt werden.
Er findet nicht den Übergang vom Gehen zum Laufen. Es beunruhigt ihn, daß der Tisch in der Mitte des Zimmers steht. Bewegungsgestörte werden eher angegriffen. Er betrachtet den Widerschein des Wassers an der Decke. Die Vorhänge bewegen sich leicht. Die ebenerdigen Fenster sind geschlossen.
Er hat gesehen, was er sehen wollte. Mit der Zeit gewöhnt er sich

so an den Schrecken, daß er ihn *spielt,* aber dann bemerkt er, daß er ihn spielt, und erschrickt von neuem.

Er schaut sich nie um, während doch sonst Gehende, auch wenn sie sich nicht verfolgt glauben, sich von Zeit zu Zeit umschauen. Jede Bewegung bezieht er auf sich. Die Schuhe drücken ihn. Lange Zeit hat er so gelebt, daß er gar nicht mehr daran gedacht hat, ihm könnte etwas geschehen. Bevor er um die Hausecke biegt, macht er einen weiten Bogen. Das Papier sträubt sich so sehr gegen seine Versuche, es aufzuheben, daß er sich die Nägel blutig stößt.

In seiner Verzweiflung nimmt er jedes Wort sehr genau. Obwohl alle Gegenstände weit weg sind, leidet er an Raumnot. Er hätte üben müssen, in der Not, von Verfolgern bedrängt, das Schlüsselloch zu finden. Die Finsternis ist *absolut* schwarz. Jemand setzt sich neben ihn auf das Sofa und erschüttert die Unterlage.

Er verliert wieder zu viel Zeit mit dem Zuschrauben des Behälters. Das Erschrecken hat für ihn die Form eines vielfach gebrochenen Pfeils. Er geht ganz langsam, Schritt für Schritt, aber in einer Weise, die vermuten läßt, daß er nur deshalb so langsam geht, weil er sich mit Gewalt zurückhält zu laufen.

Er wagt es nicht mehr, den Rock zuzuknöpfen. Im Nu ist er hellwach. Mit Absicht denkt er nicht daran, die Scharniere der Tür zu ölen. Diese ungezählten gleichartigen Bewegungen könnte er sich ersparen dadurch, daß er bei *einer* Bewegung ganz dabei ist. Als er auf die Straße getreten ist, hat er niemanden auf sich zukommen sehen. Plötzlich mischt sich eine unbekannte Stimme in das Gespräch. Vor Furcht schmerzen ihn die Füße. Einen Augenblick lang hat er das Gesicht für ein fremdes gehalten. Jetzt darf er nicht vorausdenken! Gerade die Teile des Körpers, an die er mit der freien Hand nicht hinkommt, fangen zu jucken an. Die Mauer spiegelt nichts. Der Teppich ist aufgeworfen. Er spürt den Widerstand der Luft. Er hat nichts zum Schreiben bei sich. Die Straße ist heiß. Endlich kommt ihm wieder jemand entgegen. Er fühlt den beruhigenden Druck der Geldtasche. Als ihm der Gegenstand unvermutet aus der Hand fällt, zucken ihm die Lippen. Für einen Außenstehenden sind er und der Verfolger ohne Beziehung miteinander. Auf seinen Sohlen müssen jetzt schon viele Erdschichten sein.

Er betrachtet die Gegenstände, indem er sich fragt, ob sie als Falle dienen könnten. Zu dieser Zeit ist keine Tür mehr offen. Er kann es zwischen den vier Wänden nicht mehr aushalten. Er hütet sich

vor jeder zweideutigen Bewegung. Überall sucht er Platz für eine Mitteilung. Er berührt mit den Händen niemals den eigenen Körper. Als er eintritt, möchte er dem Hinaustretenden die Tür schließen, während der Hinaustretende dem Hineintretenden die Tür schließen möchte, so daß jeder von beiden die Klinke an einer Seite der Tür umfaßt und sie gleichzeitig niederdrückt. Gefährlich wird es nur, wenn die Verfolgung so lange dauert, daß er sie nicht mehr ernst nimmt.
Seelenruhig geht er quer über den Platz. Er denkt an die harngetränkten Zeitungsfetzen im Schotterhäuschen. In einem lange unbewohnten Raum müßten Spinnweben sein. Einen Augenblick lang hat er in dem feuchten Fleck die Gestalt von etwas gesehen und erkennt sie jetzt trotz seines Starrens nicht wieder.
Er hat vergebens versucht, den Liegenden wachzurütteln. Schon das Verschieben eines Stuhls hält er für den entscheidenden Fehler. Das Auto fährt rückwärts auf ihn zu. Alle Gegenstände haben jetzt die Eigenschaft der Glätte.
Er leert das Glas ohne Verwunderung. Sobald er das tödliche Wort einmal gedacht hat, kann er es nicht mehr loswerden. Es beunruhigt ihn auch, daß er hinter sich *nichts* hört. Seine Hände fliehen vor ihm her, so schnell, daß er nicht folgen kann. Der Koffer ist zu auffällig! Die leere Tür schwingt noch ein wenig. Eine Telefonzelle ist durchsichtig!
Er versucht die baumelnde Kette zu stoppen, indem er sie festhält. Die Gestalt im Dunkeln ist eine weibliche Gestalt. Erst jetzt, als er sich fürchtet, unterscheidet er vorne und hinten. Plötzlich rutscht er mit dem Bleistift von der Unterlage ab. Er geht auf der falschen Seite der Mauer. Er denkt laut. Wenn die Entgegenkommenden sich ihn merken, werden sie sich später auch an den andern erinnern. Die Hilfe kommt zu früh.
Er darf mit dem Abstreifen der Schuhe keine Zeit verlieren. Die Katze leckt an der Pfütze. Der Mord an ihm wird später so hingestellt werden, als sei sein Tod nur *geschehen*, ohne fremdes Zutun. Dieser Gegenstand im Dunkeln kann vieles sein! In sein Taschentuch sind keine Buchstaben gestickt! Sie kennen einander, aber sie wissen nicht, daß sie einander schon kennen. Jedes seiner Worte ist eine Ausflucht.
Er freut sich, daß keiner der sichtbaren Gegenstände ihn an etwas erinnert. Zumindest bewegt er sich in der frischen Luft. Die Feuerstiege ist leer.

Nach der überraschten Bewegung muß er diese so lange überspielen, bis sie sich für den Beobachter zu einer natürlichen Bewegung umgedeutet hat. Es kommt ihm vor, als hätten sich auf einmal alle Gegenstände selbständig gemacht. Auf der flachen Straße gehend, fragt er sich, ob er schwindelfrei sei. Die Augen des Gegenübers haben so weit auseinander gestanden, daß er nicht in beide zugleich blicken konnte.
Er hütet sich, Stufen zu steigen. Er starrt auf einen Fleck. Eine neue Bewegung entsteht. Sie verfolgen ihn so lange, bis er sich sicher fühlt. Indem er sich quer stellt, bietet er ein schmaleres Ziel. Der Schatten des Drahtes zittert noch.
Er wünscht sich weit fort, aber nicht ernsthaft.
Er schaut sich noch einmal genau an.
Er kehrt die Handflächen nach oben. Die Pupillen haben sich schon daran gewöhnt, starr in der Mitte der Augen zu bleiben. Er müßte den Willen anstrengen, um jetzt mit dem Gehen aufzuhören. Er klammert sich *wirklich* an den Strohhalm. Es ist ihm unbehaglich, daß er jemanden überholen soll. Er beobachtet, wie sich im Nebel aus den wechselnden Umrissen festumrissene Gestalten bilden. Als er die Tür hinter sich zumachen will, zieht der Nachkommende, der ebenfalls hinaus will, die Tür mit aller Gewalt in die andere Richtung. Fetzen hängen in den Bäumen!
Er versucht, den Augenblick zu bestimmen, in dem sich der Gegenstand zu bewegen anfängt, aber dann bemerkt er die Bewegung wieder einen Augenblick zu spät.
Er geht einmal langsam, dann schnell, um den Beobachtenden zu ermüden. Spinngewebe berührt seine Gesichtshaut. Als es gefährlich wird, kommen ihm auf einmal die Gegenstände verschleiert vor. Einige Personen, den Blick geradeaus gerichtet, sitzen reglos im Auto, als er vorbeigeht. Was soll er zuerst tun? Er ist auf allen Seiten ungedeckt.
Indem er sich heftiger bewegt, wehrt er sich gegen die Gedanken. Der angebissene Apfel hat schon die Farbe gewechselt. Plötzlich hat er vergessen, was er in der vergangenen Minute getan hat. Seine Gedanken sind Fluchtgedanken. Worum geht es eigentlich? Mit jedem Schritt bewegt er sich im Leeren. Nachdem er das Bündel hat fallen lassen, wartet er vergebens auf das Geräusch des Aufpralls. Während er in der Tasche nach etwas sucht, starrt er geistesabwesend vor sich hin. Seine Bewegungen sind die inein-

ander übergehenden Bewegungen der Ungeduld. Sie hat dagestanden, ein Knie in die Kehle des anderen Knies gestemmt.
Er drängt sich an Leuten vorbei, die ihren Platz behaupten wollen. Warum überholt der andere ihn nicht endlich? Die Sinne stumpfen allmählich ab. Es genügt nicht, *einmal* um Hilfe zu rufen.
Alle lassen die Tür offen, weil sie glauben, die Tür müsse offen bleiben.
Er redet unaufgefordert. Vor dem Stein, über den er stolpert, läuft er davon. Jedesmal denkt er sofort an das Äußerste. Er kann dem Wort nicht ausweichen. Sein Lachen verändert ihm die Umgebung. Gerade durch die jähe Bewegung, mit der er den Gegenstand aufhalten möchte, fällt dieser ganz um. Sie warten auf die ersten Anzeichen der Schwäche.
Als er nach dem Schalter tastet, trifft er statt auf den Knopf auf eine Hand. *Die Bedeutung der Stille verändert sich.*
Er müßte jetzt wissen, auf welchen Namen der Hund hört. Der Schatten schützt ihn nicht. Kein Strick ist über den Weg gespannt. Das Wort ist zu lang, als daß er es schreien kann. In seiner Angst versucht er, unbewegliche Dinge beweglich zu machen.
Er hofft noch immer, es könnte ein anderer gemeint sein. Nichts Greifbares ist in der Nähe. Gibt es eine charakteristische Stellung der Toten?
Er zeigt, daß er ausspucken kann. Er findet keine anderen Worte für das eine Wort. Er ist noch nicht nahe genug. Was er bewegen kann, kann er als Waffe benutzen. Er kommt sich ganz leicht vor. Alle Punkte sind gleich weit von ihm entfernt. Fische würden durch den Schatten des Vogels gewarnt werden. Wieder vergeht ein Augenblick, ohne daß etwas geschieht.
Er ist am ganzen Körper kitzlig. Als er jemanden auf sich zukommen sieht, zieht er langsam die Hände aus den Taschen. Die Kleidung hindert ihn daran, sich frei zu bewegen. Auch eine scharf geladene Pistole ist eine Schreckpistole. Ein Knopf an der Jacke ist offen!
Er sieht keine Farben. Zerrissene Damenstrümpfe treiben vor ihm über die Straße.
Er stolpert über den Schatten des Lichtmastes.
Er geht nur, wo er Spuren hinterläßt.
Alles ist fürchterlich glatt.
Jede Bewegung wird die letzte.
Mit dem Umdrehen würde er Zeit verschwenden.

Er kann nicht verbergen, daß er Vorkehrungen zum Laufen trifft.
Er hört die Schritte vielleicht deshalb nicht, weil der hinter ihm auf den Zehenspitzen geht.
Er versucht, seine Bewegungen so einzuteilen, daß immer noch jemand entgegenkommt oder in Hörweite ist.
Er umschließt mit den Fingern den Daumen.
In der Nähe des Hundes kann er nicht zu laufen anfangen. Geballte Fäuste *schauen* ihm entgegen.
Der Augenblick, bevor er in Sicherheit ist, hört nicht auf. Wenn er die Verfolger durch Linien verbindet, erhält er fast einen Kreis.
Er *muß* sich umdrehen.
Jeder Gedanke stößt an einen wunden Punkt.
Die unauffälligste Form der Umkreisung ist die Spirale. Er läßt alles fallen.
Jeder seiner Versuche zu einer Bewegung wird von ihnen sogleich vielfältig nachgeahmt.
Der Umkreiste tänzelt.
Er hat den Schlüssel noch umdrehen können.
Ein kalter Gegenstand berührt seinen Nacken.
Mit dem Tod bedroht, schaut er dumm drein.
Nur keine falsche Bewegung!
Er schämt sich der Todesgefahr.
Er zeigt seine Hände.
Er atmet.
»Das könnten Schneewolken sein!«
Er setzt sich auf das Schotterhäuschen.
Er wartet.
Er stellt sich tot.
»Da! Und da! Und da!«

6 Die Befragung

Der, der in der Mordgeschichte etwas weiß oder von dem zumindest geglaubt wird, daß er etwas wisse, muß, bevor von ihm die Antwort gefordert werden kann, in eine Beziehung zu dem Antwort Fordernden gebracht werden, die es diesem erst ermöglicht, die Antwort zu fordern.

Diese Beziehung ist in jedem Fall ein ›in der Gewalt Sein‹ dessen, der gefragt werden soll: es muß möglich sein, bei einer Verweigerung der Antwort gegen die Person des Gefragten Folgen zu setzen.

Weil aber die Fragenden die Möglichkeit haben, Folgen zu setzen, können sie den Befragten, indem sie ihm diese Folgen vor Augen halten, erpressen. Eine Nichtbeantwortung wird in jedem Fall Folgen bewirken. Der Befragte, an dieser Stelle der Mordgeschichte, ist entweder in der unpersönlichen Gewalt eines Gesetzes oder in der ungesetzlichen Gewalt einer Person, die die Folgen selbstherrlich setzen kann. Aber auch das Gesetz wirkt als Erpressung.

Ob gesetzlich oder nicht gesetzlich, beide Arten der gewaltsamen Befragung beginnen mit dem sich immer wiederholenden ›Wenn nicht-so‹. Wenn der Befragte nicht antwortet, wird eine Handlung gegen ihn gerichtet werden.

Dieses ›Wenn nicht-so‹ wird wiederholt, wenn die Handlung gegen den Befragten noch immer keine oder die offenbar falsche Antwort ergeben hat.

Wenn der Befragte wieder nicht antwortet, wird eine andere Handlung gegen ihn gerichtet.

Wenn er auch durch diese Handlung nicht antwortet, wird ihm eine neue Handlung angedroht werden.

Je öfter er *nicht handelt, das heißt, nicht antwortet, desto öfter werden Handlungen* gegen *ihn gerichtet werden.*

Jede dieser Handlungen ist nur eine andere Form für die mit Worten ausgedrückte Frage. Diese Häufung des ›Wenn nicht-so‹ geschieht so lange, bis der Befragte antwortet oder zu einer Antwort vorderhand oder überhaupt nicht mehr fähig ist.

Auch wenn der Befragte nicht antwortet, wird man doch aus seinem Verhalten Schlüsse auf mögliche Antworten ziehen. Jede seiner Gesten ist eine mögliche Antwort. Eine Veränderung seiner Miene ist eine An-

deutung. Aus jeder seiner Bewegungen versucht man Schlüsse zu ziehen. Nichts, was er tut, ist ohne Bedeutung. Auch das, was er nicht tut, deutet auf etwas hin. Jede Verrichtung, die einem alltäglichen offensichtlichen Zweck dient, hat darüber hinaus einen besonderen Zweck.

Was auch immer der Befragte, der schweigt, tut oder nicht tut, ist ein Zeichen. Er tut nichts mehr um seiner selbst willen. Jede seiner Verrichtungen kann eine Mitteilung sein. Jede seiner Bewegungen ist ein ungewollter Verrat.

Den Fragenden kommt es darauf an, die Wörter herauszufinden, die die alltägliche Handlung entlarven. Sie suchen nach der Entzifferung für die Verrichtungen, Gesten und Mienen des Befragten. Was bedeutet es, daß er einen Knopf an der Jacke öffnet und wieder schließt? Was bedeutet es, daß es gerade dieser Knopf in der Reihe ist? Was bedeutet es, daß er den Daumen von der Hand wegstreckt? Warum wischt er sich gerade so *oft über das Gesicht? Was bedeutet seine Kleidung? Was bedeutet der Winkel, in dem seine Füße zueinander stehen? Was verrät das Schnippen mit den Fingern? Das Ziehen am Ohrläppchen? Der Speichel im Mundwinkel?*

Was auch immer der Befragte tut oder nicht tut, auch seine Lügen, auch die Art seines Schweigens, ist eine mögliche Antwort. Selbst der Schlaf des Befragten dient der Befragung. Was verrät die Stellung, in der er schläft? Was spricht er im Schlaf? Warum spricht er jetzt nicht mehr im Schlaf? Was sucht er im Schlaf mit den Händen?

Der Befragte, in der Mordgeschichte, versucht, die gewaltsame Beziehung zu zerstören, die an sich unzählige Male von ihm die Antwort fordern könnte.

In der Regel, in der Mordgeschichte, weiß er noch gar nicht, wer ihn fragt, oder in wessen Auftrag der Fragende ihn fragt.

Es geht jetzt dem Befragten darum, so *zu antworten oder nicht zu antworten, daß er selber die Antwort auf* seine *unausgesprochene Frage bekommt,* wer *ihn denn frage oder wer ihn denn fragen* lasse.

Jeder von beiden, Fragender und Befragter, will also eine Antwort, der eine gewaltsam, der andere mit List.

Dieser Abschnitt, zumindest in der Mordgeschichte, endet in der Regel so, daß es dem Befragten gelingt, ohne Antwort oder ohne richtige Antwort davonzukommen, wobei schließlich er es ist, der Gewalt anwendet, eben um davonzukommen:

Der Bedroher verwendet zunächst Wortspiele.
Daran, daß er das Gewicht auf das andere Bein verlagert, erkennt der Hausierer, daß er ihn wieder treten will. Er übt mit den Fingern, bevor er zugreift. Der Anprall schleudert ihn einige Schritte zurück. Die Schuhkappe saust aufwärts. Die Unterlage scheint ihm von seinen Herzschlägen zu zittern. Schlau behält er die angenommene Haltung bei, auch wenn er allein ist. »Wir werden Ihrer Erinnerung ein wenig nachhelfen müssen!« Zuerst hat er die Finsternis für die Nacht gehalten.
Er mißt dem Vorfall keine Bedeutung bei. Er läßt seinem Satz ein merkwürdiges Murmeln folgen. Das Grinsen wird man ihm schon noch austreiben! Seine Bewegungen sind jetzt Abwehrbewegungen.
Er ist es gewohnt, schlecht behandelt zu werden. Schon wenn er das Fragewort am Anfang des Satzes hört, zuckt er zusammen. Jedes Beispiel, das sie ihm nennen, ist abschreckend. Voll Neugier lauscht er einer Geschichte, die er nach ihrer Ansicht erlebt haben soll. Er glaubt, er könne seinen Schmerz die Gegenstände spüren lassen. Nachdem er den Kopf gesenkt hat, kann er sich auf einmal nicht mehr vorstellen, wie sein Gegenüber aussieht. »Was möchten Sie hören?« Weil er einen Gegenstand erblickt, dessen Verwendbarkeitsgrenze auf dem Gegenstand selber angegeben ist, glaubt er, es könne ihm selber so lange nichts geschehen, als der Gegenstand verwendbar ist. Allmählich wird es ihm zur Qual, daß er meint, alles, was er hier wahrnimmt, sich merken zu müssen. Er ist von einem Gedanken besessen, wie andere von einem Spiel besessen sind. »Er hat einen leichten Schlaf.«
Als er einmal die Wahrheit sagt, wird er verlegen. Zwischen den Fingern hört er leise knisternd die Zigarette verbrennen. Er kann sich nicht zurücklehnen. Der andere geht mit ausdrücklichen Bewegungen im Raum umher, um zu zeigen, daß *er* sich frei bewegen kann. Mit dem neuen Bekannten allein gelassen, wird ihm das Schweigen zu einer Last. Ein Vogel fliegt auf und schreit.
Er hat nichts gehört, was für fremde Ohren bestimmt ist. Zuletzt hat er anders gehustet. In dem Augenblick, als er wieder zu sich gekommen ist, sind alle Wörter unsinnig gewesen. Schon daß er einen guten Tag wünscht, wird für eine Verstellung gehalten. Die Wände sind schalldicht. Hier ist ein Stuhl!
Er antwortet, ohne aufzublicken. Jemand, der abends eine Sonnenbrille trägt, ist verdächtig. »Muß ich deutlicher werden?« Er wehrt

sich gegen das Aufwachen. Ist die Hand, die über seinen Körper kriecht, die eigene? Er kann nicht still sitzen. Er schaut so, daß alle sich angeschaut glauben. Wie angenehm, wenigstens den Finger bewegen zu können!

Er ist deswegen verzweifelt, weil er Zustände kennt, mit denen er seinen jetzigen Zustand vergleichen kann. Er gewöhnt sich nicht an die neue Umgebung. Mit der Wahrheit herauszurücken, findet er lächerlich. Der Verfolger wird ihn noch bis in den Schlaf verfolgen. Alle beruhigen ihn, weil *er* sie nicht beruhigt. »Sie wissen mehr als Sie zugeben wollen!« Ein Augenblick ist für ihn jetzt eine lange Zeit.

Er ist zu jedem Ereignis erst *dazu*gekommen. Nur einer auf dem Bild hat keinen schwarzen Balken über den Augen.

Er betrachtet, wie sein Gegenüber innig lächelt, wobei er die Teetasse wie selbstverständlich in der Hand hält. Erst wenn sie hinter seine Gedanken kämen, hätten sie ihn eingekreist. Schon am Anfang der Bewegung weiß er, daß der Schlag treffen wird. In der langen zustimmenden Rede wartet er gespannt auf das Aber. Sie geben ihm Zeit, etwas zu sagen. Indem er den Kopf schüttelt, prüft er die noch mögliche Bewegungsfreiheit. Sie stellen ihm Gegenstände gegenüber, damit er sich im Umgang mit ihnen verrät. Am Telefon hat er nicht darüber sprechen können. Sein Lächeln kann vieles bedeuten.

Beim Reden denkt er an anderes. An der Tür sieht er die Brennspuren von Zigaretten. Vor Schmerz wendet er das Gesicht zur Seite. Er ist zu klein für die Mauer. Erst als er den Satz ausspricht, merkt er, daß er lügt. Sie möchten ein paar Fragen an ihn stellen. Er schaut, als hätte er eine leere Straße vor sich. Der Reißverschluß ist verklemmt! Sie versuchen sich bei ihm einzuschleichen auf dem Umweg über Dinge, die ihm gehören. Mitten im Sprechen muß ihm etwas eingefallen sein. »Unsere Geduld ist zuende!« Allmählich wird das Schweigen erträglich. Um ihn zum Antworten zu zwingen, verweigern sie ihm Sinneseindrücke.

Er tut als ob. Jedesmal, wenn sie ihn betrachten, sieht er ertappt aus. Die frische Luft wird ihm gut tun! Sie achten auf die Untertöne in seiner Stimme. Als einer versucht, ihn anzuspucken, verschluckt er sich. Sie brauchen ihn noch.

Jedes Wort kann er zum Abschweifen benutzen. Durch diesen Schmerz schützt er sich vor dem Vergessen. Sie fügen ihm nur Fleischwunden zu. Ein Name wird ihm nachgerufen, der nicht

sein eigener ist. »Haben Sie noch etwas zu sagen?« Was bedeutet es, daß er den Gegenstand fallen läßt und ihn wieder aufhebt? *Warum wird dieser nebensächliche Vorgang beschrieben und der andere nebensächliche Vorgang nicht?*
Er plant jede seiner Bewegungen. Die Geste, mit der er das Streichholz wegwirft, dient nicht nur dem Wegwerfen des Streichholzes. Sie malen ihm eine Zukunft aus, die nicht in seiner Hand liegen wird. Die Farbe seines Hemds ergibt allein noch keinen Sinn. Vielleicht erinnern sich seine Hände besser als er selber. Einmal die Augen schließen bedeutet Ja. Das Zimmer hat eine angenehme Aussicht. Nur an den Bewegungen des Halses ist zu erkennen, daß er es ist, der spricht. Sie haben schon verdächtig lange zu leise gefragt. Schmerzensschreie sind keine Aussagen.
Er legt sich Antworten auf Fragen zurecht, die sie niemals stellen werden. Er kann sich nicht einmal die Augen reiben. Nachdem er gelogen hat, atmet er länger ein als vor der Lüge. Wäre er schuldbewußt, würde er langsamer kauen, würgend, mit vollen Backen. Sie reden ihm ein, er sei freiwillig mitgegangen.
Obwohl er im Augenblick fühllos ist, ist ihm, als müßte jetzt die zarteste Berührung einen unerträglichen Schmerz bewirken. Sie haben ihm nur einen Vorgeschmack auf das gegeben, was ihn noch erwartet. Die Sachen, die er bei sich hat, zeigen nichts, was einmal geschehen sein könnte. Er wird nicht alt werden. Sie ziehen Schlüsse aus dem Weißen in seinen Augen. Er sitzt mit dem Rükken zur Wand. Ein Schlag ins Gesicht bringt ihn wieder zu sich. Sie fragen ihn nach Gegenständen, die er unmöglich bei sich haben kann, und er hat sie bei sich.
Er schläft mit zusammengebissenen Zähnen.
»Wir wollen mit Ihnen einen kleinen Spaziergang machen!«
Selbst wenn er mit den Schuhbändern spielt, kann das eine Anspielung sein. Als er den Löffel wieder eintauchen will, ist der Teller nicht mehr da. Er verspricht sich nicht. Der leere Raum hinter ihm ist unangenehm. Früher hätte man ihm die Augenlider abgeschnitten. Vor seinem Ohr klimpern sie mit Schlüsseln. Er fragt nicht, ob er im Schlaf gesprochen hat. Er schützt mit den Lippen die Zähne. Der Schmerz ist immerhin ein Zeitvertreib.
Er wird sich schon ausschreien.
Er möchte keine Zuschauer haben. Sie versuchen, seine Freunde zu werden, damit sie auch seine Gedanken unsicher machen können. Jedesmal, wenn er stockt, setzen sogleich die Deutungen ein.

Daß er die Hand höher als bis zur Schulter hebt, läßt auf eine feindselige Absicht schließen.
Er hat Zeitungsabschnitte über den Vorfall in der Tasche. Sein Bewußtsein wird immer empfindlicher. Sie müssen ihn dazu bringen, daß er mit seinen Schmerzen abstoßend wirkt. Sie sprechen von seinem Eigentum schon als von ihrem. Was fällt ihm zu diesem Wort ein? Wo er bald hingehen wird, dort wird er nichts mehr brauchen.
Er will seine Anwesenheit nicht begründen. Einen Augenblick lang setzt sein Herzschlag aus. Er zählt die Ecken des Fensters, obwohl er die Zahl genau weiß. Er schließt die Augen in Erwartung des Schlags. Eine Weile sitzt er mit verstörtem Blick da. Er vermißt den Schmerz. Es ärgert ihn, daß er schon wieder schlucken muß. »Sind Sie der glückliche Besitzer?« Durch die verdrängte Luft entsteht ein Sausen. Sie haben einen Sessel mit so hohen Beinen gewählt, daß er mit den Zehen nicht zum Boden langt. Er schließt die Lippen nicht zu fest, damit sie nicht glauben, er wolle etwas verschweigen.
Er möchte nur einmal wieder zu Atem kommen. Es scheint ihm, er könnte sich jetzt auch an runden Gegenständen weh tun. Sie ordnen alles schon so an, daß sein Tod später natürlich erscheinen wird. Auf einmal fällt ihm nichts mehr ein, an das er noch denken könnte. Der Schreck unterbricht sein Gähnen. Mit gebundenen Händen kann er nicht die Richtung einhalten. Sie nehmen ein Protokoll seiner Gebärden auf. Bevor sein Gegenüber zuschlägt, schwellen ihm die Adern.
Er blickt mit starren Augen auf seine Schuhe. Er hört nichts, er sieht nichts, er denkt nichts, er spürt nur schmerzhaft die eigene Anwesenheit. Der Geruch der Faust vor seiner Nase erinnert ihn an etwas. Das ist ein Totschläger! Seine Tätigkeiten sind nicht mehr seine Tätigkeiten. Er liegt unter einem vollbesetzten Sofa. Der Schläger hat gelbe Zähne. In die Reihe der harmlosen Wörter, die sie ihm zurufen, fügen sie solche ein, die für die Fragen eine Rolle spielen. Die Fensterscheiben sind mit Zeitungen überklebt. Die Schäfte der Stiefel fallen übereinander. Die Knöchel werden einige Zeit zum Heilen brauchen. Ein toter Hausierer nützt ihnen nichts.
Als er gewürgt wird, hebt er notgedrungen andächtig den Kopf. Der Schreck hat die Schrift verstümmelt. Er hat eines von jenen Gesichtern, die sich im Lauf des Lebens wenig verändern. Er weiß

auf einmal nicht, wie man einen Satz bildet. Er möchte nichts mehr hören und sehen.
Er wollte etwas sagen, hat aber mitten im Reden bemerkt, daß das, was er sagen wollte, der Rede nicht wert ist, und deshalb aufgehört zu reden, und jetzt bedrängen sie ihn von allen Seiten, doch zuende zu sprechen. Die Rolläden sind nicht ganz hinaufgelassen. »Er hat den Tod verdient.« Bevor er weggeht, müßte er ein starkes Wort sagen, aber er kann nicht weggehen. Er denkt nicht daran zu schreien. Mit angehaltenem Atem schaut er den Gegenstand an, bis in die kleinsten Ritzen, als wollte er sich an ihm satt sehen. Als er stockt, meinen sie, er habe sich gerade verplappert. Niemand ist auf den Witz gefaßt gewesen, so daß eine peinliche Pause entsteht.
Er sieht nicht die Gestalt, bemerkt aber die erste gefährliche Bewegung. Sein Lachen ist jetzt ein Luxus. Sie werden dafür sorgen, daß er diese Minute nie vergißt. Der Lichtschalter ist zu weit weg von seinen Fingerspitzen. Vergeblich versucht er sich vorher den Schmerz vorzustellen. Die weiche Unterlage vermindert die Wucht des Schlags. Im entscheidenden Augenblick hat er den Mund voll, so daß er wieder nicht sprechen kann. Die Schwierigkeit für ihn, sich zu erinnern, besteht darin, daß das Vergessene kein Gegenstand ist, sondern ein Wort. Das barmherzige Dunkel! Sie berühren die Stelle, die ihn angeblich schmerzt, aber er zuckt nicht zusammen, oder er zuckt zwar zusammen, aber einen Augenblick zu spät: er hätte zusammenzucken müssen noch *vor* der Berührung. »Der Fragende feilt sich sorgfältig die Fingernägel.« Sie fangen ihre Bewegung in einer Weise an, daß er merken muß, daß die Bewegung vorderhand nur als Bedrohung gemeint ist, daß sie also jederzeit, wenn er sich gefügig zeigt, abgebrochen werden kann, daß es aber dennoch möglich ist, die Bewegung in der angedeuteten Weise zuende zu führen: statt eines Wortes dient also eine Bewegung als Erpressung. Sie ändern jäh die Richtung, aus der sie ihn fragen, damit er immer wieder den Kopf nach dem jeweils Fragenden wenden muß und durch diese jähen Bewegungen ermüdet. Hände greifen ihm unter die Achseln, aber nicht, um ihn zu stützen.
Er ist senkrecht zur Tür hereingekommen, wird aber nicht mehr auf dieselbe Weise hinausgelangen. Der Sessel hat keine Sitzfläche. Er darf den Kopf nicht senken. Allmählich fühlt er sich erleichtert. Das Handtuch ist nur an einer Stelle zerknittert. Der Raum ist

unpersönlich eingerichtet. Sein Schweiß ist kein Angstschweiß. Als die Flasche zwischen den Haufen der anderen Flaschen gezwängt wird, drängt die Gegenbewegung die Flasche wieder heraus. Sie betupfen die Einrichtungsgegenstände mit den Fingerspitzen und schauen dann die Fingerspitzen an.

Er ist nicht mehr imstande, auf ihre Bewegungen zu antworten. Wenn er die Augen schließt, wird ihm übel. Sie ergreifen sein Handgelenk, während sie ihn ausfragen, scheinbar zärtlich. Indem er viel zu langsam den Atem einzieht, kann er inzwischen viel Zeit gewinnen. Er zwingt sich zur Ruhe. Sie warten nur die völlige Dunkelheit ab. Jemand fragt ihn nach seinem Wohlergehen.

Er weiß nicht mehr, in welcher Stellung er sich befindet. Je kleiner ihr Machtbereich ist, desto gieriger nutzen sie diesen aus. Er würde die Gegenstände hier später nicht wiedererkennen. Er kann seine Wut nicht äußern. Die eigenen Füße erinnern ihn nicht mehr ans Gehen. Sie drücken ihm einen glatten Gegenstand in die Hand. Er hat schon Vorgänger gehabt. Sie müssen ihn mit jemandem verwechseln. Weil er nichts besitzt, können sie ihn nicht mit der Zerstörung seines Eigentums bedrohen. Es geht immer höher mit dem Schmerz, fast bis zum Singen. Auf einmal spürt er, daß er gerade, jetzt, in der Gegenwart, etwas vergißt und es nicht halten kann. In dem Wunsch, allein gelassen zu werden, nestelt er heftig an seinem Kragen. Es freut ihn sehr, daß er heimlich wenigstens mit den Fingern spielt.

Er darf sich nicht durch starre Blicke verraten.

»Habe ich Sie erschreckt?« Er möchte die Hände auf die Ohren pressen. Sein Gegenüber *zeigt* ihm, wie er sich vor der Gewaltanwendung den Rock auszieht. Er macht in Gedanken einen Gehversuch. Sie vertreiben ihm die Wartezeit mit Scherzen. Sie spielen mit einem Gegenstand, indem sie an diesem vorführen, was ihm blühen wird. »Er ist ein leidenschaftlicher Wanderer.« Sandschleier rieseln aus seinen Kleidern, als man ihn umdreht. Sie fragen ihn noch einmal nach allem, was sie schon wissen. Als sie wütend werden, teilen sie ihre Worte in Silben auf.

Er *ist* nicht ihr Freund! Bevor der andere zuschlägt, tippt er ihm auf die Schulter. »Ein Sonnenuntergang ist nichts gegen diese Farbenpracht.« Sie achten vor allem auf die Stellung der Worte im Satz. Seine aufgebogenen Schuhe söhnen ihn wieder mit der Umwelt aus. Die Zwischenzeit zwischen zwei Schlägen kommt ihm schon ganz natürlich vor. Sie gewähren ihm jetzt, was er nur will, damit er sich verrät. Obwohl genug Platz ist, geht jemand dicht an ihm vorbei. Das Lachen wird ihm noch vergehen! Auf den Befehl, die Hände zu heben, hat ein Einarmiger die Hand gehoben. Die geringste Veränderung seiner Haltung nutzen sie dazu aus, ihn darüber auszufragen. Es wird wie ein unglücklicher Sturz aussehen.

Weil er sich die Gegenstände, die sie ihm versprechen, nicht mehr vorstellen kann, können sie ihn auch durch Versprechungen nicht zum Antworten bringen. Tatsachen, die sie ihm gegenüber feststellen, sind als Befehle gemeint. Jede Bewegung ist jetzt die falsche. Immer wieder hört er auf, aufmerksam zu sein. Ein Haar klebt an der Mauer! Sie fordern ihn auf, die Geschichte noch einmal zu erzählen.

Er schaut vor allem auf ihre Ohrmuscheln. Sie dürfen ihn nicht zu genau fragen, um sich nicht selber zu verraten. Er kann nicht reden, weil die Tür noch offen ist. Das ist eine Dienstwaffe! Sie warten, bis ihm die Luft ausgeht. Auch einen Zahnstocher kann er zur Selbstverstümmelung verwenden. Sie sind alle Familienväter. Sie streiten, wer von ihnen die Tür aufmachen soll. Selbst als er die Augen schließt, kann er nicht aufhören zu sehen. Wo er auch die Hand hinlegt, überall ist sie ihm lästig. »Übernimm *du* ihn!« Immer ist gerade der eine von ihnen nicht da, mit dem er es dann zu tun bekommen wird, wenn er mit den andern fertig ist.

Auch im Schmerz macht er die vielen kleinen Wahrnehmungen von der Umwelt, nur daß sie ihn jetzt nicht mehr ablenken. Er verfolgt die Gedanken von einem zum andern bis zum ersten zurück, um sich an diesen zu erinnern. In einem geschlossenen Raum sind ihre Möglichkeiten größer. Für wen arbeitet er?

Er ist nicht schwerhörig. »Als die Waffe aus ihrer Hülle gezogen wird, entsteht ein Sausen.« Seine Hand ist auffallend ruhig. Der Kopf wird unerträglich schwer. Er hofft auf den Augenblick des Zögerns. Der Tropfen, der am Kinn haftet, zieht sich länger und länger. Er schaut mit dem sprichwörtlichen Blick des umstellten Wildes. Vergebens versucht er sich andere Orte vorzustellen als den, an dem er sich befindet. Wenn er jetzt nur eine Frage beantwortet, wird es kein Halten mehr geben. Selbst die Schmerzen sind nicht imstande, seiner Redefaulheit auch nur ein Stöhnen zu entlocken.

Er setzt sich nicht, aus Furcht, er könnte beim Aufstehen Zeit verlieren. »Das ist gar nicht so komisch wie Sie denken!« Der Gegenstand neben seiner Hand könnte ebensogut unendlich von ihm entfernt sein. Tropfen um Tropfen fällt auf dieselbe Stelle.

Er nickt plötzlich. Was er auch wahrnimmt, schmerzt ihn. Solange noch jemand *hinter* ihm steht, redet er nicht. Sie gebrauchen schönere Wörter für das Töten. Wenn draußen Schnee liegt, sind das rasselnde Schneeketten. Sie finden das für ihn passende Reizwort nicht. Nach der Stimme hat er sich ihn anders vorgestellt. Niemand sonst weiß, wo er jetzt ist.

Er tut ihnen nicht den Gefallen, daß er aufschaut. Er *riecht* auf einmal die tödliche Waffe. Immer wenn sie sich umdrehen, werden sie damit rechnen müssen, daß er hinter ihnen ist! Plötzlich handelt er ohne den Umweg über die Gedanken. Der Schwung ist groß genug gewesen. Die Glühbirne platzt zur rechten Zeit.

Er läßt ihn nahe an sich herankommen. Die Schrecksekunde ist noch nicht vergangen. In Nebensätzen verbirgt er seine Andeutungen. Sie befehlen ihm, er solle sich hier wie zu Hause fühlen. »Wie finden Sie meine Krawatte?« Plötzlich spürt er seine Füße und erschrickt.

Er schaut durch die Achselhöhlen seines Gegners. Er dreht sich um, aber nicht schnell genug. Der Schmerz verdrängt die Bewußtlosigkeit. Weil seine Zukunft in ihrer Hand liegt, reden sie jetzt ganz offen. Einen Augenblick früher ist er so gesprächig gewesen, daß sein Verstummen besonders auffällt. Der Schlag kommt von hinten rechts! Würden sie doch endlich eindeutig werden, damit er sich verteidigen kann! Der Schmerz ist so groß, daß er sich entkleiden möchte.

Er zieht schon vorher den Bauch ein. In ihren Augen ist er bereits tot. Gewaltsam aufgeweckt, hat er zuerst in die falsche Richtung geschaut. Immer einen Augenblick vor der höchsten Steigerung des Schmerzes hören sie auf. Er muß etwas festhalten. Auch was nicht zu ihm gehört, schmerzt jetzt *ihn*. Es dürfen ihm nur nicht die Worte ausgehen. Sie malen ihm sein künftiges Aussehen aus. Kein Schlag trifft dieselbe Stelle zweimal. Der Gartenschlauch paßt gerade in seinen Mund.

Er hört, wie ein Knochen bricht. Er fängt zu zählen an. Diese harmlose Frage kann nicht von den Bedrohern stammen. Es bleibt ihm nicht mehr die Zeit, sich an den Gedanken zu gewöhnen. Er darf nicht aufhören zu reden, sonst fangen sie wieder zu fragen an. Sein Körper vibriert vor Schmerz. Sie wollen Tatsachen erfahren.

Er hilft bei der Quälerei noch mit. Er wird keine dummen Fragen mehr stellen. Sie zeigen ihm die Unterseite ihrer Schuhe. Ein kurzer Wink mit dem Kopf genügt. Diese Lage ist für ihn neu. Er soll als erster aus dem Raum gehen. Ein harter Gegenstand bohrt sich ihm zwischen die Rippen.

Er schnappt nach einem Finger. Er kann nicht mehr zuhören. Er zuckt mit den Schultern, um die Bedroher, die ihm jede Bewegung verboten haben, allmählich wieder an Bewegung zu gewöhnen. Selbst wenn er etwas weiß, wird er es ihnen nicht sagen. Sie werden mit ihm leicht fertig werden. Sie sparen bei den Schlägen seinen Mund aus. Es ist einer zuviel im Raum! Er weiß nicht, worauf sie hinauswollen. Sie geben ihm noch eine Minute. Plötzlich, mitten im Schmerz, kommt ein Augenblick der Geduld.

Er muß geschlafen haben. Als ihm die Worte ausgehen, denkt er sich neue aus. Sie zeigen ihm die Schweißperlen, die sie ihm von der Stirn wischen. Was sie tun, ist auch eine Arbeit.

Er weiß zuviel. »An der Geschichte ist kein wahres Wort.« Sie suchen sich frische Stellen an ihm aus. Durch Herumlaufen möchte er den Schmerz abschütteln. Auf einmal schaut er überrascht auf einen Punkt hinter ihnen.

Er fürchtet die Frage, die sie ihm stellen werden *nach* der Frage, die sie ihm *jetzt* stellen. Seine Augen glitzern. Er ist zählebig. Ihren Gesichtsausdruck beim Zuschlagen kann man auch als Mitleid deuten. Die verdrängte Luft nimmt ihm den Atem. Der Stein hat die Größe eines Kinderkopfes. Mitten im Satz wird er unterbrochen. Sie haben sich satt gefragt. Seine Fingerspitzen verfärben sich dunkel. Seine plötzliche Mordlust erstaunt ihn. Eine Bewegung setzt die andre fort.

Er kann jetzt nicht mehr aufgehalten werden. Er legt sein ganzes Gewicht in den Schlag.

Es ist ein Geräusch wie ein Blubbern.

Einen Augenblick lang sind die Kämpfenden völlig unbeweglich.

Aus dem Mund dringt ein sonderbarer Laut.

Der Gewürgte knurrt.

Der Atemstoß läßt ihn zurückspringen.

Er drückt die Kehle so fest zusammen, bis er ein Knacken hört.

Sein Gegenüber ist aus Gummi.

Jetzt spielt *er* mit Worten!

Die Tür ist nur angelehnt.
Der Hausierer bleibt auf der untersten Stufe stehen und lauscht.
Es wird dunkel, und er fängt zu reden an.
Der Schreck wirkt erst danach.

7 Die scheinbare Wiederkehr der Ordnung und die Ereignislosigkeit vor der zweiten Unordnung

Allmählich haben die Formgesetze der Mordgeschichte die alltägliche Wirklichkeit verdrängt. Je mehr sich die Beschreibung auf den Mord beschränkt hat, desto mehr mußte die Wirklichkeit aus dem Spiel bleiben. Beziehungen von Personen zu Personen oder Beziehungen von Personen zu Sachen oder Beziehungen von Sachen zu Personen oder Beziehungen von Sachen zu Sachen waren nur insofern beschreibenswert, als diese Beziehungen auf die eine Beziehung hinweisen konnten, um die die Geschichte geht: auf die Beziehung des Mörders zu seinem Opfer. Die alltäglichen Beziehungen gehörten nicht mehr zur Geschichte.
Wenn aber auf einmal eine alltägliche Beziehung beschrieben wurde, so war es sicher, daß sie ganz und gar nicht alltäglich sein konnte. Daß das Aufheben eines Taschentuchs beschrieben wurde, daß die Zubereitung einer Mahlzeit beschrieben wurde, daß ein dunkler Fleck auf einer Mauer, daß die Fingernägel einer Person beschrieben wurden, war nicht Selbstzweck, sondern ein Zeichen, ein Indiz. Vor allem die Beschreibung von sonst gleichgültigen Nebensachen sollte aufmerksam machen. Wenn etwas, das für den gegenwärtigen Ablauf der Geschichte gar keine Bedeutung hatte, auf einmal beschrieben wurde, so mußte es Bedeutung haben entweder für die Zukunft oder die Vergangenheit. Jede Unregelmäßigkeit, jede Abweichung, jede Beschreibung einer Alltäglichkeit unter Besonderem und umgekehrt, jede im Vergleich zur Beschreibung der anderen Gegenstände genauere, längere, ungenauere, kürzere Beschreibung eines einzelnen *Gegenstandes mußte den Argwohn erregen, daß gerade dieser Gegenstand nicht die vorgetäuschte Belanglosigkeit haben konnte, sondern im Gegenteil besonders Belang für die Mordgeschichte hatte.*
Schon einen Satz nach dem Satz über den Mord gehörte das, was von der alltäglichen Wirklichkeit beschrieben wurde, bedeutungsvoll zur Mordgeschichte. Die Wirklichkeit diente also der Geschichte, und was von ihr nicht zur Geschichte gehörte, wurde nicht beschrieben: der Fall hat die Wirklichkeit ausgeschlossen. Kam ein Satz mit der alltäglichen Wirklichkeit vor, so wirkte dieser als Fremdkörper.
An einer Stelle der Mordgeschichte aber kommt scheinbar die Wirklichkeit wieder ins Spiel, und die besondere Mordgeschichte wird scheinbar wieder zu einer allgemeinen Geschichte. Es ist das die Stelle, an der

die Mordgeschichte fehlgeschlagen scheint. Der Versuch, die Vielzahl der Möglichkeiten auf die einzig mögliche Tatsache zu beschränken, ist vorderhand unmöglich gemacht, vielleicht durch Gewalt. Scheinbar endet nun die Mordgeschichte schon hier, ohne Aufklärung, und die alltägliche Wirklichkeit kehrt in der Beschreibung zurück. Wenn sie jetzt beschrieben wird, hat sie nicht mehr die besondere Bedeutung für die Mordgeschichte. Jeder Satz ist jetzt Selbstzweck, deutet auf nichts hin. Die Beschreibung an dieser Stelle gehört nicht zur Mordgeschichte, sie ist eine Beschreibung der alltäglichen Beziehungen ohne gleichzeitigen Hintersinn. Deswegen wird die Beschreibung auch ungenauer. Andererseits übertreibt sie noch in ihren Sätzen die Alltäglichkeiten, um den vorläufigen Fehlschlag der Mordgeschichte zu zeigen. Ihre Sätze könnten jetzt zu jeder beliebigen Geschichte gehören, sie haben für die künftige Entlarvung keine Bedeutung.

Nichts geschieht. Alles läuft ab, wie es schon vorher abgelaufen ist und wie es wohl auch weiter ablaufen wird. Nichts Neues fängt an. Nichts Altes hört auf. Wenn etwas geschieht, so geschieht es natürlich.

Hat früher eine Spannung zwischen der Suche nach der einzig möglichen Tatsache und der Vielzahl der gegenwärtigen Möglichkeiten bestanden, so besteht jetzt eine Spannung zwischen dem Mangel an Geschehen und dem nach dem Gesetz der Mordgeschichte zu erwartenden überstürzten Geschehen, das die alltägliche Geschichte wieder zur Mordgeschichte machen wird.

An dieser Stelle der Geschichte aber herrscht noch die Beschreibung der Langeweile der alltäglichen Wirklichkeit.

Der aus der Langeweile der Wirklichkeit in die Wirklichkeit der Mordgeschichte Geratene kehrt jetzt in die Langeweile zurück. Die Abweichung, die die Mordgeschichte für ihn gewesen ist, scheint aufgehoben.

Er erwartet zwar noch etwas, doch er kann gegenwärtig nichts tun. Er widmet sich seiner gewohnten Beschäftigung. Aber die Ordnung, die sich ihm jetzt zeigt, beunruhigt ihn, weil er zwischen den Gegenständen der Ordnung plötzlich keine Beziehungen mehr herstellen kann. Es beunruhigt ihn, daß jeder Gegenstand für sich allein ist. Inmitten der alltäglichen Verrichtungen, inmitten der wiedergekehrten Wirklichkeit hält er es nicht mehr aus. Dadurch daß ihm die eine Beziehung fehlt, verliert er auch alle andern Beziehungen zu den Gegenständen. Die Wirklichkeit wird ihm unwirklich. Weil sie nicht geklärt ist, zerfällt sie in Einzelheiten, die für ihn nichts mehr miteinander zu tun haben. Er kann das Messer nicht mehr mit dem Brot verbinden, den Raum nicht

mehr mit der Tür, das Waagrechte nicht mehr mit dem Senkrechten, Schnell nicht mehr mit Langsam, Vorher nicht mehr mit Nachher, Nachher nicht mehr mit Jetzt, Wörter nicht mehr mit Wörtern, Buchstaben nicht mehr mit Buchstaben.
Es kommt so weit, daß ihn vor dieser ungeklärten Wirklichkeit ekelt und er die Mordgeschichte zurückwünscht.
Aber er kann, nach dem Formgesetz der Mordgeschichte, jetzt von sich aus nichts dazu tun. Die alltägliche Wirklichkeit wird erst wieder vertrieben durch äußere Gewalt. Inzwischen aber langweilt er sich und wartet:

Er reißt sich die tote Haut ab. Er hat sich an den Raum noch nicht gewöhnt. Er ist zu schnell wieder zu sich gekommen. Der Mantel ist noch nicht trocken. Er tastet nach der Brusttasche. Was er sieht, glaubt er vor Schmerz zu *hören*. Mitten im Fallen ist aus dem Fallen ein Springen geworden. Niemand hat auf der Flucht die Tür offengelassen. Die weißen Flecken auf dem Boden stammen aus dem Rachen eines Erwürgten.
Er zieht sich notdürftig an. Er stolpert über den Koffer im Vorraum. Seine Hand hat lange im Wasser gelegen. Er bemerkt, daß er sich noch immer die Kleider abklopft. Obwohl er allein ist, leidet er an Raumnot. Die Flüssigkeit ist so dunkel, daß er darin nichts erkennen kann.
Er atmet unregelmäßig, weil er unsinnigerweise die Fingernägel nicht wachsen sieht. Auf dem Foto scheint der Abgebildete zu leben. Die Erinnerung ist sofort wieder wach. Das ausgerissene Haar ist am Ende gewellt.
Auf der rechten Seite liegend, spürt er den Ekel weniger stark. Er hat nicht sterben wollen. Er weiß, daß ihm etwas entgangen ist. Alles, was er wahrnimmt, ist trocken. Er nützt die Zeit zwischen zwei Atemzügen, um den Kopf zu heben. Er besitzt zum Unglück nicht so viele Gegenstände, daß er sich länger mit ihnen beschäftigen könnte. Er dreht am Lichtschalter, aber nichts geschieht. Der Raum ist so leer, daß er ihn leerer nicht denken kann. Auf der Streichholzschachtel ist keine Aufschrift, die er zum Zeitvertreib lesen könnte. Zu spät ist er mit den Händen in die Höhe gefahren. Mit bloßem Auge sieht er nichts Auffälliges. Der Anblick des schlafenden Menschen erregt ihn.
Er weiß mit keinem Gegenstand etwas anzufangen. Er zwingt

sich dazu, wenigstens die Zeitung zu lesen. Hinter diesem verschlossenen Fenster hat sich die Geschichte abgespielt. Er bekommt es mit der Atemnot zu tun. Er sucht den Teppich ab mit der Sorgfalt eines Verzweifelten. Am Nachmittag kann er die Uhr ticken hören. *Von Ermordeten sieht man meist die Hochzeitsfotos.* Wie soll er sich etwas abgewöhnen, an das er sich noch gar nicht gewöhnt hat?

Er macht eine Mitteilung, obwohl niemand da ist. Er könnte sich in ein Kino einschließen. Um Zeit zu verlieren, geht er wieder den längsten Weg zwischen zwei Punkten. Im Nebel hat er Stimmen gehört. Die neue Lage des Körpers ist ihm angenehm. Er glaubt, er *dürfe* nicht einschlafen. Auf einmal findet er gar nichts Neues mehr an der Tür. Er weiß bald alles schon auswendig.

Er bereitet einen Schritt vor. Noch im Schlaf kann er nicht aufhören zu gehen. Allmählich wird das Schotterhäuschen unergiebig. Warum steht der Sessel auf dem Boden? Das Ticken der Uhr erzeugt im Halbschlaf tickende Bilder. Er kann sich jetzt nicht hinter die Vernunft flüchten. Jeder Schritt ist schon eine Weltreise.

Er wird zornig, weil er hinter sich das Loch im Mantel nicht findet. Er öffnet eine falsche Tür. Plötzlich fällt ihm auf, daß er ein Rechtshänder ist. Die Gegenstände werden zu einer unsinnigen Verbindung von Buchstaben. Er leidet am Zählzwang. Wieder hat er einen Atemzug hinter sich. Er erfindet neue Anordnungen für die Gegenstände. Er wartet angestrengt auf die Bedürfnisse seines Körpers, um etwas zu tun zu bekommen. Die Wirklichkeit stört ihn. Wenn er nicht weiter weiß, kann er immer noch sachlich werden.

Er spielt mit den Möglichkeiten, sich zu bewegen. Er beobachtet krampfhaft. Im Schlaf ist so wenig geschehen, daß er aufgewacht ist. Er vegetiert nur noch. Eine *Frau* könnte jetzt in einer Vase Blumen anordnen. Er hat keinen Geschäftssinn. Die leere Zeit, die ihn erwartet, trifft ihn unvorbereitet. Durch ein Angebot könnte er den Gegenstand in eine Ware verwandeln. Um diese Zeit sind alle Rolläden niedergelassen. Ein schwerer Gegenstand ist hier über den Boden geschleift worden. Das Gangbild ergibt sich erst aus mehreren Spuren. Jede seiner Bewegungen dient jetzt nur dem Zeitvertreib. Der Spalt zwischen Tür und Türrahmen ist dunkel. Das Insekt ist farblos.

Er schaut die Wand Zentimeter um Zentimeter an. Außer ihm

gibt es hier nichts, an dem er eine Bewegung verfolgen könnte. Kein Gegenstand eignet sich zu einem Spiel mit den Gedanken. Es ist zu spät, sich jetzt erinnern zu wollen. Er zählt die Menge der sichtbaren Farben. Das Tier hat an einem Ort gelebt, an dem es keine Augen gebraucht hat. Er steht auf und legt sich nieder, steht wieder auf und setzt sich. An jedem Gegenstand versucht er eine möglichst lange Geschichte zu lesen. Das Zimmer liegt ruhig zwischen den vier wohlbekannten Wänden. Vielleicht ist etwas in den Taschen, mit dem er sich beschäftigen könnte.
Er findet keine Arbeit. Seine Zerstörungswut äußert sich zunächst nur in einem Zucken der Augen. Er kaut viel zu lange an einem Holzspan. Ohne Erleichterung vollführt er die üblichen Bewegungen für die Verzweiflung. *Um die Geschichte weiterzubringen, versucht er es mit allen möglichen Arten von Sätzen.* Wie kommt das weißliche Rinderhaar an diesen Ort? Es ist ja nur *ein* Toter gewesen. Er lächelt lange über den Anlaß hinaus. Sogar im Hemd hat er Taschen. Die anderen sind schon vor ihm dagewesen. In diesem Raum ist zu wenig Bewegungsfreiheit für eine richtige Schlägerei. Erst nachher bereitet er sich vor. Wieder dieses Herzklopfen am Nachmittag!
Weil er den Namen des Mörders nicht kennt, muß er für ihn einen Namen erfinden. Auch die Telefonschnur kann als Schlinge verwendet werden. Er wagt es nicht, zu nahe ans Fenster zu treten. Als er umgefallen ist, ist die Erde auf ihn zugerast, und schon bald hat er Einzelheiten auf dem Erdboden unterscheiden können. Die Gegenstände sind jetzt völlig wirkungslos. Als er zu sich kommt, merkt er, daß sein Körper kein Ende hat. Plötzlich geht es ihn nichts mehr an, wer der Mörder ist. Er schlägt die Augen auf und bemerkt, daß sich noch immer nichts geändert hat. Auf einmal kann er die Wörter nicht mehr verwenden, die zur Bezeichnung dessen bestimmt sind, was zu ihm gehört. Die Lache stammt von einer umgestürzten oder umgefallenen Vase.
Als er steht, fürchtet er sinnlos, das Gleichgewicht zu verlieren. Kein Gegenstand sagt ihm etwas. Er knöpft sich das Hemd auf und wieder zu. Die Arbeit, die er leistet, hat keinerlei Tauschwert. Auf der Straße liegen Totenkränze umher. Endlich kann er sein Bedürfnis verrichten. Jede Bewegung, auch die sonst unwillkürlichen, dehnt er mit dem Willen. Er steht von dem Sessel auf, auf dem er gesessen hat, setzt sich auf den Sessel, der dem ersten gegenübersteht, und schaut auf den leeren Platz, auf dem er gerade noch

gesessen hat. Kampflustig starrt er die Mauer an. In dem Raum über ihm ist etwas umgefallen. Wenn er schläfrig wäre, würde die Zeit schneller vergehen. Seine linke Hand streitet mit der rechten. Alle Gegenstände, die er sieht, sind schon fertig, so daß ihm nichts mehr an ihnen zu tun bleibt als sie zu zerstören. Es ist eine ruhige Nacht. Das Opfer hätte sich gefreut, wenn es das noch erlebt hätte.

In der Wut schlägt er die Tür weder zu noch schließt er sie besonders leise. Auch das Umstellen von Möbeln würde ihm viel Zeit vertreiben. Er versucht sich durch Lügen über die Wirklichkeit lustig zu machen. Wieder einmal hat er in seinen Kleidern übernachtet. »In einem fremden Zimmer muß man sich erst leer machen für den Schlaf.« Der Apfel liegt mit der angebissenen Seite nach oben.

Er bewegt sich möglichst ausführlich. Er geht im Straßenanzug im Zimmer umher. Die Einrichtungsgegenstände sind gegen Zerstörung versichert. Die Fußmatte vor der Tür ist verrutscht. Er versucht, den Schmerz von sich aus zu erzeugen. Unnötigerweise schüttelt er das Kissen aus. Er verwendet die Münze als Schraubenzieher. Bei dem Knall hat jemand hastig nach dem Kind gegriffen.

Er braucht die ganze Hand, um den Gegenstand zu halten. Niemand hat mit ihm über Gardinenstangen gesprochen. »Er ist nicht mehr der, der er war.« Er reißt die Telefonschnur aus der Wand. Er sehnt sich nach einem Mißgeschick, das ihm etwas zum Ausbessern gäbe. Er kann keinen Gegenstand mit dem andern vergleichen. Jeder Vorgang läuft ohne Verzögerung ab. Die Enden des Schals, den er um den Hals trägt, sind von hinten gut greifbar. Er tupft die Scheibe voll mit seinen Fingerabdrücken. Nur ein Atemzug trennt die Hand von der Mauer, und noch immer ist nichts geschehen.

Er stockt absichtlich. Er erzeugt nutzlose Gebilde. Die Wäsche tropft noch. Als ihm bewußt wird, auf welcher Seite er liegt, kann er es auf dieser Seite nicht mehr aushalten. Die Tür des Lastwagens wird mehrmals zugeschlagen, bevor sie einschnappt. Er richtet sich auf, nur um sich aufzurichten. Auch das stille Liegen verwandelt er in eine Arbeit. Die Zeit bewirkt wieder diese spürbaren Herzschläge.

Er stülpt das Futter des Handschuhs nach außen. Der Stein würde genau in eine Wunde passen. Mit nichts weiß er etwas anzufangen.

Als er sich fragt, ob er müde ist, *wird* er müde. Er kennt nur Spiele, für die er einen Partner braucht. Er versucht, den Ausgang jeder Bewegung vor sich selber geheimzuhalten. Auf den ersten Blick hat er den Gegenstand mit dem Gegenstand verwechselt, mit dem er ihn von jetzt an vergleicht. An allen möglichen Stellen erzeugt er Spuren. Er schreibt etwas auf, nur um dann die Zeit mit dem Lesen verbringen zu können.

Er hat die Kälte mit sich in den Raum gebracht. Er sitzt da und ahmt die Geräusche der Natur nach. Er stößt den Gegenstand nur vom Tisch, um ihn aufzufangen. Er übt die Geistesgegenwart. Er setzt mutwillig Ereignisse in Gang und hält sie mutwillig wieder auf. Er spielt in Gedanken mit einer verkehrten Welt. Er zerlegt alles Zerlegbare und setzt es wieder zusammen. Er kann nicht singen. Jede Bewegung strengt ihn an. Er erträgt es nicht, daß nichts mit ihm geschieht. Kein Gegenstand erinnert ihn an etwas. Zu dieser Tageszeit sind ihm alle Gedanken zuwider. Eine lockere Schraube würde ihm Gelegenheit zum Handeln geben.

Er glaubt nicht, daß die Mauer kalt ist, bis er sie berührt hat. Zu keinem Geräusch will ihm die dazugehörige Geschichte einfallen. Würde ihn wenigstens jemand beobachten! Er befiehlt sich, vernünftig zu bleiben. Immerhin weiß er, wie er zu einem Zeitvertreib kommen *kann*. Er ist auf einer Flucht ohne Verfolger. Nichts gibt ihm zu denken. Niemand ist abgängig. Er hat plötzlich Angst zu platzen. Vielleicht sind die Dinge wahnsinnig? Der Schlüssel steckt verlockend im Schrank. Er könnte die Pflanzen- und die Tierwelt auf dem Toten betrachten. Es sind vielleicht nur Windspuren.

Er verdreht die Augen, während er gähnt. Er verfolgt gespannt jede Tätigkeit seines Körpers. Das kleinste Stäubchen auf dem Teppich beunruhigt ihn Zum Vergleich: Der Müller erwacht in der Nacht, wenn die Mühle stehenbleibt. Hier kann ihm nichts geschehen. Obwohl er so viel Zeit hat, glaubt er selbst bei den alltäglichsten Verrichtungen Zeit zu verlieren und erledigt sie nicht.

Den ganzen Vormittag fällt ihm nichts ein. Der Kitt an der Fensterscheibe ist noch weich. Sie haben ihm einen Vorgeschmack gegeben auf das, was ihn noch erwartet. Nach dem Schreck sehen die Dinge ganz anders aus. Wenn er sich das Hemd über den Kopf zieht, ist er unsichtbar. Etwas ist in der Zwischenzeit in dem Raum

verändert worden! Er erschrickt, als das Glas beim Aufprall nicht zerbricht.
Er übt sich im Reagieren. Er überlegt, warum das Brot auf die Butterseite gefallen ist. Er ist noch nicht bis zum Äußersten gekommen. Zu spät merkt er, daß der Verschluß nicht gedreht zu werden braucht.
Er zieht ein unschuldiges Gesicht. Vielleicht ist es der entscheidende Fehler, daß er gerade jetzt untätig ist. Die Ränder der vertrockneten Lache sind schwarz. Nichts geht vor sich. Er benennt alles, was er wahrnimmt, mit falschen Namen, um sich verbessern zu können. Es scheint ihm möglich, zu Tode zu erschrecken. Im Schlaf kann ihm nichts geschehen.
Er empfindet den Geruch als Stich in die Nase. Die Betrachtung der Wand ergibt nichts Neues. Seine Fingernägel sind so kurz, daß nichts darunter haften bleibt. Im Kino nimmt er nur Geräusche und große Gesichter wahr. »Er bricht einer Flasche den Hals.« Er stellt sich selber eine Falle und fällt darauf herein. Es ist zu spät, etwas zu unternehmen, und zu früh, etwas zu unternehmen. Durch das Telefon hört er ein kurzes, heftiges Atmen. Die Waffe ist unhandlich. Er fragt sich, ob die Flüssigkeit wirklich naß sei. »An der Augenfarbe eines Menschen kann niemand etwas ändern.« Der Ort lädt ihn ein zum Wohnen. Von unten nach oben zu schauen, gefällt ihm. Der Gegenstand, den er in der Hand wiegt, muß ein anderer geworden sein.
Er möchte Beziehungen nur herausfinden in der Absicht, Geschäfte zu machen. Er schließt sich ein, um sich zu zerstreuen. Solange er noch schlafen kann, ist alles halb so schlimm. Vor Scham spürt er die Schwerkraft. Es ekelt ihn vor dem Gedanken, den er schon einmal gedacht hat. Durch eine unvorsichtige Bewegung könnte er das Idyll zerstören. Die Gegenstände im Raum zeigen keine Anzeichen eines Kampfes. Den ganzen Tag ist er nicht richtig munter geworden. Er weiß nicht, was er mit der Zeit anfangen soll. Sein Blick kehrt wieder in die Wirklichkeit zurück. Das Erwachen geschieht erst nach und nach. Beim Einschlafen fallen allmählich die Glieder von ihm ab. Jeder Gegenstand steht ihm im Weg. Kein Ding ist hier mehr an seinem ursprünglichen Ort. Auch die Straße könnte eine Falle sein.
Er geht im Zickzack. Der Hund weicht knurrend vor dem Stein zurück. Das Fahrrad schaut hinter der Hausecke hervor. Wenn

er sich bewegt, wird er hörbar. »Seit dieser traurigen Geschichte ist im Zimmer nichts angerührt worden!«
Er ist froh, daß er endlich mit freien Händen herumgehen kann. Die Schranktür hat sich unmerklich in Bewegung gesetzt. Die Schrecksekunde dauert bei ihm recht lang. Er steht in einem ungünstigen Winkel. Er kann sich nicht vorstellen, daß jetzt andere schlafen. Bei jeder Beschäftigung fürchtet er schon das Ende der Beschäftigung, weil er dann wieder nichts zu tun haben wird. Absichtlich macht er alles, was er angreift, zuerst falsch.
Er tut nichts, damit er müde wird. »Wer weiß, wozu das gut ist!« Er beugt sich stundenlang über das Waschbecken. Er spielt mit sich selber Karten. Je öfter er die heißen Innenflächen seiner Hände an den kalten Gegenständen zu kühlen versucht, desto heißer werden die Hände, ja sie werden umso heißer, je kälter die Gegenstände sind. Obwohl die Langeweile ihn überwältigt, hat er keine ruhige Minute mehr. Er lernt die Merkmale aller Gegenstände. Er glaubt, der Dunst sei innen am Glas, und will ihn abwischen. Der lange Flur ist unerträglich leer.
Es hilft ihm nichts, daß er die Gesten und Mienen der Freude ausführt. Was er an Dingen wahrnimmt, versucht er vergeblich mit Menschlichem zu vergleichen. Das Gesicht des Toten hat Lachfalten gehabt.
Er läßt den Staub auf den Gegenständen, um Fallen für Spuren zu legen. Der Schrank ist der Tür so nahe, daß er ihn schnell davorschieben kann. Die schlafende Katze zeigt im Mundwinkel die Zähne. Er geht langsamer als es ihm natürlich ist. An jeder Kleinigkeit will er zum Zeitvertreib etwas entdecken. Er möchte alle Sinne verlieren.
Er schüttelt sich. Er zieht die Schuhe verkehrt an. Er ist schon mit Herzklopfen aufgewacht.
Er kann sich nicht vorstellen, daß es an anderen Orten etwas anderes gibt, er kann sich nicht einmal mehr vorstellen, daß es noch andere Orte gibt als den, an dem er sich befindet.
Den ganzen Tag läßt er das künstliche Licht brennen. Er schraubt lange den falschen Verschluß auf den Behälter. Die Umwelt erscheint ihm bis zur Unkenntlichkeit verstümmelt. Als er an einen Gegenstand stößt, beschwichtigt er den Gegenstand mit Worten und Gesten. Er lacht länger als nötig. Dem Boden, der unter ihm knackt, ruft er zu, er solle still sein. Die Herkunft der Ware läßt sich deswegen nicht feststellen, weil sie in Masse hergestellt wor-

den ist! Vor Ungeduld schmerzt ihn der Kiefer. Die Zeit heilt alle Wunden. Sein Fuß ist schon eingeschlafen. Alles ist griffbereit.

Er kann nicht einmal mehr mit einem Schlüssel umgehen. Während er ißt, versucht er sich mit nichts zu beschäftigen als mit dem Essen. Der neue Weg erscheint ihm kurzweiliger. Seine Hand zuckt aus dem Stiefelschaft zurück. Die Langeweile richtet sich nicht auf etwas, das er erwartet, sie hat keinen Gegenstand. Obwohl die Kälte nicht tödlich ist, will er nicht einschlafen.

Hätte er etwas vergessen, könnte er jetzt wenigstens versuchen, sich zu erinnern. Um sich mit jemandem zu unterhalten, müßte er fürs erste über die Kleinigkeiten Bescheid wissen, mit denen sie alltäglich zu tun haben. Er wartet ab, was der nächste Atemzug bringen wird. Weil er auf einmal nichts sehen kann, ist er zunächst unfähig, sich zu bewegen. Die Wunde pocht.

Er zählt viel weiter als bis drei. Ein Schuß ist beunruhigender als mehrere. Er versucht noch immer, sich zu halten. Er übt zu vergessen, was geschehen *wird*. Während er auf das Nachlassen des Regens wartet, kommt ihm wieder die Atemnot.

Er kann jetzt kein ausgesprochenes Wort ertragen. Er geht von einer Begrenzung des Zimmers zur andern. Er hat keine immer wiederkehrenden Gedanken. Er erkennt die gewählte Nummer an der Drehdauer der Wählscheibe. Wie an jedem Tag wacht er in einem nichtvertrauten Zimmer auf. Er legt ein Streichholz auf die obere Türkante. Er wird sich, während die Zeit vergeht, der Bewegungslosigkeit der Gedanken und des Körpers bewußt. Er ändert immer schneller seine Lage. Er riecht an geruchlosen Gegenständen. Er *unternimmt* jeden Schritt. Er bleibt stehen, weil dadurch Zeit vergeht. Er verzögert die natürlichen Bewegungen bis ins Unerträgliche. Er betrachtet grundlos und ohne Verlangen Sachen, die ihn nichts angehen. Er geht mit atemhemmenden kurzen Schritten. Er hebt den Koffer auf und stellt ihn nieder. Er wäscht sich verzweifelt die Hände. Er gähnt absichtlich. Er versucht Gegenstände einzuteilen, die er schon bis ins kleinste eingeteilt hat.

Er ist ein Hausierer, nur nicht im Zimmer, mit sich allein.

Er überlegt, wie er *eine* Stunde verbringen soll.

Er will mit der einen Hand das Unglück gutmachen, das er mit der andern angerichtet hat, richtet aber mit dieser Hand ein zweites Unglück an, das er mit der andern Hand wiedergutmachen

möchte, richtet aber mit der andern Hand ein drittes Unglück an, das er mit der ersten Hand wiedergutmachen möchte, undsofort, bis er alles zerstört hat und ein bißchen zufrieden ist.
Wie der Milchmann und der Zeitungsausträger ist der Hausierer der Entdecker der unentdeckten Toten.

Die scheinbare Wiederkehr der alltäglichen Wirklichkeit in der Mordgeschichte hat nur der Vorbereitung der Beschreibung der zweiten Unordnung gedient. Die Langeweile der beschriebenen Wirklichkeit sollte die größtmögliche Spannung zu der zu erwartenden Unordnung erzeugen.

Die Unordnung, die jetzt gewaltsam gesetzt wird, rechtfertigt die Beschreibung der scheinbar alltäglichen Wirklichkeit für die Geschichte. Die Mordgeschichte, die scheinbar schon ohne Lösung zuende war, geht weiter, als jetzt der zweite Mord geschieht.

Der zweite Mord nun kann nicht in der gleichen Weise beschrieben werden wie der erste. Er wird, in der Mordgeschichte, in der Regel nicht als eben geschehender Vorgang beschrieben, sondern als bereits geschehene Tat. Das Opfer stirbt nicht in der Gegenwart von Zeugen, die den Vorgang in der Gegenwart erleben könnten, sondern allein. Der Mord geschieht *gleichsam nicht, er wird* entdeckt. *Das Opfer wird* gefunden. *Man stößt auf das Opfer. Man hat es vorher nicht gesucht, so wie man einen Toten sucht, man hat es eher* aufgesucht, *um zum Beispiel von ihm etwas Wichtiges über den ersten Mord zu erfahren.*

Es ist aber schon an der Art der Beschreibung zu erkennen, ob man den, den man als vermeintlich Lebenden aufsucht, als Toten auffinden wird. Verläßt man etwa den Betreffenden, um die Gegenleistung für die von ihm in Aussicht gestellte Mitteilung herbeizuholen, so ist es gewiß, daß der Betreffende bei der Rückkehr keine Möglichkeit mehr zu der versprochenen Mitteilung haben wird. Er ist inzwischen zu einem Opfer geworden.

Es muß schon Verdacht erregen, wenn überhaupt jemand allein gelassen wird.

Daß etwas nicht in Ordnung ist, zeigt dann die eingehende Beschreibung der Gegenstände, bevor noch ein Mensch beschrieben wird. Die Bewegungslosigkeit des erst zu beschreibenden Menschen wird angezeigt in der Beschreibung der sich unnatürlich hastig bewegenden Gegenstände rund um den noch unsichtbaren Menschen. In dem Raum, den man etwa betritt, werden die auf dem Boden flatternden Papierfetzen beschrieben oder surrende Ventilatoren oder heftig flatternde Vorhänge

oder schlagende Fensterläden und Türen oder auf dem Herd hüpfende Kochtöpfe oder das Überlaufen von siedendem Wasser in diesen Kochtöpfen oder rasselnde Vorhangspangen oder rauschende Wasserhähne im Bad.
Jede Beschreibung eines für die Tages- oder Nachtzeit ungewohnten Zustands an den Gegenständen muß ebenso aufmerksam machen. Am hellichten Tag brennt das künstliche Licht. Mitten in der Nacht spielt das Radio ungewohnt laut. Obwohl es Nacht ist, sind die Rolläden nicht heruntergelassen. Obwohl es regnet, stehen alle Fenster weit offen. Am hellichten Tag sind die Rolläden noch immer heruntergelassen. Mitten in der Nacht steht die Tür sperrangelweit offen.
Die Beschreibung des Opfers wird bis zuletzt aufgespart. Die Beschreibung der Gegenstände rund um das Opfer dient der allmählichen Einkreisung des Fundorts. Auf diese Weise wird zuletzt die Beschreibung des Opfers ganz selbstverständlich. Der Satz, mit dem es beschrieben wird, redet schon wie von etwas Bekanntem oder gar Vertrautem. Hieß es vorher: eine offene Dose, ein zerwühltes Bett, ein verrutschter Bettvorleger, eine flackernde Kerze, so heißt es jetzt: die Leiche, oder einfacher: er (oder sie).
In der Regel geht aus dem ersten Satz der Beschreibung des Opfers auch noch gar nicht hervor, ob der oder die Beschriebene tot ist. Es wird sogar manchmal ein Wort gewählt, das, unbefangen gebraucht, noch eine Tätigkeit des Betreffenden ausdrücken kann. Der oder die Beschriebene muß nicht liegen, er oder sie wird vielleicht noch als sitzend beschrieben, und manchmal lehnt das Opfer sogar noch und hält dazu etwas in den Händen, wobei alle diese Wörter, harmlos verstanden, Tätigkeiten bedeuten.
Die Beschreibung wählt also mit List zunächst alle Merkmale an dem Opfer aus, die auch zu Lebenden passen, ja, die als besondere Merkmale von Lebenden gelten, etwa die gesunde Gesichtsfarbe oder der Gesichtsausdruck des Staunens oder die auf den ersten Blick ausdrucksvoll schauenden Augen oder der spöttisch verkniffene Mund oder der lauschend geneigte Kopf. An einer Frau wird in der Regel noch eine sinnliche Gebärde beschrieben, oder es gilt ein Satz den sinnlichen Teilen ihres Körpers, die nach der Beschreibung den Betrachter zu einer Tätigkeit reizen müßten. Die Beschreibung einer nackten Frau gibt zunächst ein Bild des Lebens. Vom ganzen erst geht dann die Beschreibung zum einzelnen, und zwar zu jenem einzelnen, das den eingetretenen Tod bezeichnet. Zuletzt erst wird die Wunde beschrieben oder der Gasgeruch oder die Würgemale am Hals. Was der Dazugekommene zuerst merkt, steht in

der Beschreibung erst im letzten Satz. Alle Sätze vorher sind eine Beschreibung von Bewegungen gewesen, der letzte aber ist eine Beschreibung der Bewegungslosigkeit:

»Als ihre Lippen auseinanderweichen, hört er ein kleines Geräusch.« Die Flasche schaukelt lange hin und her, gelangt aber nicht bis zum Kippunkt. In der Gesprächspause hört er, wie sie sich durch die Strümpfe heftig das Bein kratzt. »Heute wird ein heißer Tag werden!«
Sogar einen Gruß sagt er geheimnisvoll.
Sie verteilt das Parfüm auf die sieben klassischen Stellen. Er hält ihr schon lange die Tür auf, während sie sich noch weiter unterhält. Er erschrickt nicht über einen Laut, sondern über einen Gedanken. Nachdem er die Unglücksnachricht durch das Telefon gehört hat, starrt er blöde den unsinnigen Hörer an.
Sie hat die Puppe liebkost.
Wo Leute sich auf der Straße versammelt haben, schaut er sofort nach einem, der liegt, nach einem, der das Gesicht bedeckt, nach Zeitungen auf Körpern, nach Zerstörtem. Er möchte ihre Kniekehlen zudrücken. Er findet ein fremdes Kleidungsstück in seinem Schrank. Mit ihr alleingelassen, sucht er sofort nach einer Beschäftigung. Die Finger der Handschuhe liegen übereinander! Man hätte ihn als gutmütig bezeichnen können, wäre da nicht ein Glitzern in seinen Augen gewesen.
Sie weigert sich, scharf gewürzte Speisen zu sich zu nehmen. Als er sie reden hört, kann er nicht anders als sie berühren.
Er betrachtet die mit Hundeurin getränkte Zeitung im Schotter. Der Kopf des Abgebildeten ist in einem Winkel verdreht, der nur bei gebrochenem Hals möglich ist. »Der Besitzer ist viel auf Reisen!« Die zwei alten Weiber wissen nichts von einer Radfahrerin. Der Mörder hat den verräterischen Laut des Opfers nachgeahmt, um ihn harmlos erscheinen zu lassen, aber gerade dadurch, daß der nachgeahmte Laut sich vom Laut des Opfers unterschieden hat, ist man aufmerksam geworden. Er macht es sich gemütlich. Er befiehlt seinem Kopf, nicht weh zu tun. Er fährt sich mit der Zunge über die Fingerspitzen, bevor er die Frau berührt. Die Leiche liegt in einer grotesken Stellung. Der Gehende draußen auf der Straße atmet mühsam, wie unter einer schweren Last.
Als er den Lichtschalter niederdrückt, springen ihm die Einrich-

tungsgegenstände ins Gesicht. Es gibt keine Unregelmäßigkeit, über die er sich mit der Frau unterhalten könnte. Jetzt ist er sicher, daß sie ihn meint. Ihn befremdet diese Selbstverständlichkeit, mit der er angeschaut wird. Er darf sich nicht anmerken lassen, daß er sie kennt. Bei Tageslicht sieht alles anders aus. Sie meinen mit dem Wort etwas Verschiedenes.

Sie schaut zu, wie er Vorbereitungen trifft, sie zu berühren. Es knistert. Sie gibt ihrer Frisur Halt. Die Tür schließt sich von selber. »Wir wollen nicht das ganze Haus aufwecken!« Als die Stimmen unter dem Fenster verstummen, weiß er, daß er sich jetzt in acht nehmen muß.

Ohne Schwierigkeit sagt er ein Wort nach dem andern. Er beweist seine Sachkundigkeit. Er ist ja gar nicht so, wie sie sich ihn vorgestellt hat. Das Licht verbreitet einen heimeligen Schein. Immer wieder stößt ihm beim Gehen die Tasche in die Kniekehlen. Jedes ihrer Worte ist ihm angenehm. »Wenn man unschuldig ist, denkt man nicht an alles!« Sie klopft sich heftig auf die Wangen. Die offenen Augen zeigen keinerlei Reaktion auf das Licht.

Unter diesen fremden Gegenständen erkennt er sie nicht gleich. Sie ruft ihn zu sich, sagt aber nicht gleichzeitig, um was es sich handelt. Ein bedeutungsvolles Schweigen entsteht. Wie mühsam, jetzt die Worte in die Tat umzusetzen. Er fühlt sich wohl. Jedesmal ist sie am schönsten. Da alle Lichter brennen, müßte doch drinnen ein Geräusch zu hören sein. Er steht in einer ungewöhnlichen Haltung an der Wand. Ihre Lage bewirkt in ihm Vorstellungen. Das Gesicht wird streng vor Müdigkeit. Es ist nicht üblich, sich bei diesem Anlaß die Hände zu reichen. Sie unterhält sich mit ihm über dieses und jenes. Als er sie in der Spiegelung des Bads sich die Haare bürsten sieht, glaubt er, sie kämpfe mit jemandem. Ihre Haut beruhigt sich.

Nur einen Augenblick lang kann er sie noch anschauen, im nächsten Augenblick schon müßte er blinzeln, und die Gelegenheit wäre vorbei. Mit angehaltenem Atem wartet sie, daß ihm endlich das Wort einfällt. Das Geräusch ist für diese Tageszeit zu laut.

Er vergißt die Augen zu schließen. Es ist früh oder spät. Ihr Name eignet sich gut zu einem Ruf. Das Öffnen der Tür überrascht ihn. Sie stellt sich mit dem Rücken zu ihm. Als er neuerlich auf den Klingelknopf drücken will, hält er plötzlich inne und lauscht. Der Tag hat ja gut angefangen! »Es gibt kein Gesetz gegen das Spazierengehen.«

Er steht ungeschickt herum. Der Tote war mit einem leichten Sommeranzug bekleidet. Er deutet ihre Mitwisserschaft an, indem er das Wort ›*be*sprechen‹ verwendet. Es ist ihm aufgefallen, daß sie auf einmal nur Gutes von ihm redet. »Woher haben Sie diese Narbe am Handgelenk?«
Er muß so leise sprechen, daß es ihm nicht gelingt, sich zu verständigen. Er stellt sich möglichst weit von der Tür weg, für den Fall, daß diese plötzlich aufgestoßen wird. Sie kann sich nicht vorstellen, ihn essen zu sehen. Die ziellose Bewegung im Hintergrund genügt, ihn abzulenken. Er erlaubt sich, von ihrem Kleid ein Haar zu entfernen. Es fällt ihm etwas Rotes auf. Er steht mit dem Mantel in der Hand da, während sie noch angeregt plaudert. Die Schuhe sind auffallend verschmutzt. Das Kleid unterstreicht ihre Formen eher als es sie verbirgt. Im Dunkeln fühlt er plötzlich etwas Klebriges an den Händen. Er redet sich darauf hinaus, eingeladen zu sein. Sie erklärt ihm, welches Mittel sie gegen ihr trockenes Haar verwendet. Vielleicht hat er nur wegen des Mordes das Zimmer so billig bekommen? Die Einrichtungsgegenstände leiden bei den offenen Fenstern unter dem Regen. Die Tür fällt nicht zu, sondern stößt dumpf gegen etwas. Sie zieht in ihrem Gesicht Linien nach. Er findet rote Spuren an den Zigarettenstummeln. Jemand ist im Zimmer!
Er dreht die Birne aus der Lampe. Sein Fuß trifft auf einen weichen Gegenstand. Ihre Achselhöhlen sind noch gerötet. Der Sessel ist so beschaffen, daß er als Falle dienen kann.
Er läßt sich anschauen. Das Mädchen ist früh entwickelt. Er hört, wie der Strick zu reißen anfängt. Ängstlich fragt sie zuerst nach dem, was günstiger ist. Zunächst hat man gehofft, sie werde von selber zurückkommen. Merkwürdigerweise ist das Fenster des Wohnraums dunkel. Er hat sich ihre Hand heiß vorgestellt. Ihre Formen sind herausfordernd. Endlich macht er Schluckbewegungen. Die Klinke springt heftig auf und nieder. In ihrem Raum wagt er es nicht einmal, den Mantel auszuziehen. Sie sieht so aus, als habe sie noch im letzten Augenblick schützend den Arm gehoben. Es gehört zu seinem Beruf, die Toten aufzufinden, die zurückgezogen gelebt haben.
Als er im Dunkeln gegen die Tür klopfen will, schlägt er mit dem Knöchel nicht ans feste Holz, sondern ins Leere. Ihre Pupillen sind sehr eng vom Tätigkeitsdrang. Während er den spitzen Schrei der Überraschten erwartet hat, bleibt im Zimmer alles still. Ihr Nacken wird steif. Was sie ihm sagt, ist keine Mitteilung.

Er spricht sie an.
Diesen Fingern traut er einiges zu. Warum geht denn niemand ans Telefon? Er fragt sich, was ihn wohl mitten in der Nacht geweckt haben könnte. Sie zeigt ihre Betroffenheit, indem sie plötzlich des langen und breiten von einer Nebensache redet. Der Schlüssel steckt innen im Schloß!
Sie lauert geradezu darauf, von ihm gegrüßt zu werden. Sie heben die Gläser zur gleichen Zeit. Auf einmal wird ihm das Reden natürlich. Sie drückt den Kopf der Katze in deren Kot. Er hört, wie draußen auf der Straße ein starkes Papier entzweigerissen wird. Sie hat Angst vor der Kälte.
Sie verlangt Gegenleistungen von ihm. Er sagt, sie solle sich ruhig verhalten, obwohl sie doch ganz ruhig ist. Sie sieht nicht wie eine Tote aus. Er hat die herausfordernde Art dessen, der sich fehl am Platz weiß. Solange die Lache nur Urin ist, ist alles in Ordnung.
Warum wird das Einhängen des Hörers nicht mehr beschrieben?
Als er in den stillen Raum kommt, schnüffelt er. Die vertiefte Spur deutet auf einen plötzlichen Sprung hin! »Wird an einer frisch gegrabenen Stelle Wasser gespritzt, so sickert dieses an der fraglichen Stelle rascher ein, und es steigen auch Luftblasen auf.« Im Zimmer wird es ruhig. Jetzt werden sie in irgendeiner Weise zu handeln anfangen müssen. Die Beleuchtung ist vorteilhaft. Diese Berührung ist schon ein Anfassen. Jeder seiner Bewegungen folgt eine von ihr. Ihre Haut ist an manchen Stellen trockener. Er hat sich nirgendwo den Mantel ausgezogen. Sie wird unwillig, weil er sich nicht endlich setzen will.
Er hat den Schrei mit einem Schrei der Lust verwechselt. Ihre Handgelenke sind zerschunden. Das Haar ist am Ende zerfasert.
Es hat sich solange nichts ereignet, daß sich gleich etwas ereignen muß.
Sie verfolgt ihn mit dem Bügeleisen. »Die erste Verwundung verursacht höchst selten Blutspritzer.« Sie fängt ein wenig zu früh zu lachen an. Niemand hat weißes Papier zur Hand. Etwas Warmes fällt auf seinen Kopf. Sie fühlt sich bei ihm geborgen. Die Handschuhe hinterlassen die Abdruckspuren tierischer Haut.
Sie lenkt ihn nur ab.
Er bemerkt gleich, ob ein Lebender versteckt ist oder ein Toter. Das Gegenlicht erschwert zunächst das Erkennen von Einzelheiten. Er weiß, daß der gesuchte Gegenstand vor ihm liegt, aber er sieht und sieht ihn nicht. Er hebt die Beine, schon lange bevor sie mit dem Besen bei ihm ist. Sie liegt mit dem Gesicht nach oben. Es

ist nichts Ernstes! Auch als er etwas Offensichtliches sagt, kommt es ihm wie eine Lüge vor. Unsicher glaubt sie, sich immer vergleichen zu müssen. Der Sprung dauert länger, als er erwartet hat. Er hält sie so nahe am Körper, daß ihre Hände ihm nicht gefährlich werden können. Sie reizt ihn zum Widersprechen. Er wendet ihr keine Sekunde den Rücken zu. Sie möchte etwas von ihm wissen. Ihr Schrei ist ein Niesen. »Das klingt verlockend!«
Er will das Gebäude nur von außen sehen. Er fürchtet für die Telefonierende in dem Augenblick, in dem diese den verfänglichen Namen nennen wird. Sogar einen Gegenstand, gegen den er im Dunkeln stößt, herrscht er an. Ihr Lidstrich ist mit der Augenfarbe abgestimmt. Immerzu schaltet sie das Licht an und wieder aus. Er hat etwas, was sie anzieht. Er lacht zornig. »Wieviel Zucker nehmen Sie in den Tee?«
Er trägt einen hellen Hut mit einem schwarzen Band. Sie weiß mehr von ihm, als ihm lieb ist. Er muß etwas Furchtbares sehen. Sie knickt die Sitzlehne des Autos nach vorn. Er trägt kein Stecktuch! Ihr Hals ist zerbrechlich. Es genügt, daß er sie aufmerksam anschaut, und schon trumpft sie mit all ihren Taten aus der Vergangenheit auf. Allmählich unterscheidet er Einzelheiten. Ihre Haltung ist eine Schreckhaltung.
Sie schaut zu ihm auf. Ihr Mund ist so weit offen, daß er auf das Blut wartet. Während sie spricht, geben ihre Finger geheimnisvolle Zeichen. Er stößt sich plötzlich an jedem Wort. Was ihm im Zorn herausgefahren ist, versucht er zu beschönigen, indem er es wiederholt und dabei spaßhaft übertreibt.
Sie haben den ganzen Raum für sich allein. Als sie sich gekämmt hat, hat sie gekeucht. Da sie nicht im gleichen Schritt geht wie er, versucht er die ganze Zeit den Schritt zu wechseln, um sich ihr anzupassen, aber als er sich angepaßt hat, hält er auch den Gleichschritt nicht aus. Sie ruft ihn zu sich ohne Rufzeichen. Der Schlüssel ist aus Glas. Sie verlangt eine Leistung Zug um Zug. Er spürt die Anwesenheit eines Menschen im Dunkeln, obwohl er ihn nicht wahrnimmt. Das Badezimmer ist nicht der geeignete Ort für solche Scherze! Vor Schreck glättet sich ihre Stirn. Als sich auf das Klopfen niemand meldet, fängt er zu rufen an. Die Stille ist eigentümlich.
Vielleicht sieht er nur infolge seiner Anstrengung die Gegenstände anders.
Um zu prüfen, ob er es ist, den sie anschaut, dreht er den Kopf ein

wenig zur Seite. Sie liest so langsam, daß er schon lange fertig ist, bevor sie umblättert, und inzwischen nicht weiß, was er tun soll. Sie haben viel Zeit füreinander. Wenn der für tot Gehaltene in der Mundart redet, kann er kein Gespenst sein. Etwas an seinem zum Klingeln ausgestreckten Finger ist ihm aufgefallen. Vor Schreck vergeht ihr Hören und Sehen.
Er ist überall dabei. Er zuckt zusammen, als ihm das aufgeweichte Brot entzweibricht. Als er ihren Namen ein zweites Mal ausspricht, ist er enttäuscht. Sie verwendet ein Duftwasser, das zu ihr paßt. Obwohl sie sich an einem harmlosen Gegenstand zu schaffen macht, erschrickt sie, als er sie ertappt. Erst als sie schon ausgestiegen ist, will er ihr aus dem Wagen helfen. Er ist sich unschlüssig, auf welchen Gegenstand sie gezeigt hat. Er hat gerade *die* Münze nicht bei sich, die sie zum Telefonieren braucht. Das Zimmer zeigt alle Anzeichen einer überstürzten Abreise. Weil er sie nicht verstanden hat, lacht er für alle Fälle.
Er tastet hastig die leere Stelle ab, wo sich der Gegenstand gerade noch befunden hat.
Sie bittet ihn, sie jetzt nicht allein zu lassen. Nach dem Erschrecken vollführt sie noch einige Kaubewegungen im Leeren, die mit einem Schlucken enden. Nichts wie hinaus! Der Gegensatz zwischen ihren geschlossenen Augen und dem offenen Mund fällt ihm viel zu spät auf. Die Fensterritzen sind mit Heftpflastern verklebt! Daß er nicht auf den Knopf drückt, sondern klopft, rettet ihm vielleicht das Leben.
Er wirft ihr den Strumpf in den Schoß. Für das, was sie mit ihm tut, ist sie viel zu wachsam. Aus der Wohnung dringt kein Geruch.
Er hält das Geräusch für das Kratzen eines Fingernagels. Der Tote hat in einer seltsam verrenkten Stellung auf der Straße gelegen. Die offene Tür bei der Rückkehr hat ihn gleich stutzig gemacht. Sie versucht, das Haar im Mund loszuwerden. Sie hat es leichter als er, mit einem Spiegel die Umgebung zu überprüfen. An seiner Schuhsohle haftet ein nasses Blatt. »Es ist die Zeit der Stille auf den Straßen.« Der Regen betont ihre Formen.
Sie kann auch ohne ihn leben. Sie spielt mit den Händen. Er hört das Herunterfallen der Münze im Telefonautomaten. Sie ist nicht so, wie er glaubt. Jede Lage scheint ihr unbequem zu sein. Jemand zeichnet ihre Gestalt in die Luft. Die Vorstellung, daß sie vor dem Tod noch den Apfel verzehrt hat, ist ungeheuer friedlich.

Sie muß ihre Nachricht im Gehen geschrieben haben. Auf dem Haar sind die Spuren eines Lippenstiftes. Allmählich sinkt die aufgebauschte Bettdecke wieder zusammen. Sie hat ihn schon erwartet. Der Körper ist vornüber auf das Lenkrad gefallen. Sie bewegt sich unablässig.
Er muß nüchtern bleiben!
Unter der Dusche reißt sie die Augen auf.
Bevor er spricht, wickelt er das Taschentuch um die Muschel. Sie hat hinter ihm sofort abgesperrt. Es ist ein gelungener Abend. Die Gläser werden immer wieder nachgefüllt. Ihr Ohrgehänge baumelt noch. Sie ist zufrieden. Vor der verschlossenen Tür häufen sich Zeitungen, Briefe und Milchflaschen.
Es ist ein unglücklicher Sturz gewesen!
Sie ist so außer Atem, daß sie noch nicht sprechen kann. Das Licht verbreitet einen ruhigen Schein. Sie sagen einander gleichlautende Sätze. Der zurückkehrende Totgeglaubte erscheint *spring*lebendig. Er hat schon einmal einen Kinderschrei mit einem Schreckensschrei verwechselt. Er kann das Geräusch nicht beschreiben. Die Arme hängen an ihr herunter. Durch das Schlüsselloch kann er nur einen umgekippten Schuh erkennen. Jeder hat dem andern das letzte Stück vom Essen zuschieben wollen. Der Koffer ist ihm gleich nicht leer vorgekommen. *Zuerst werden die aufwärts ragenden Fußspitzen beschrieben.* Ihr Lächeln ist eindeutig. Die Badewanne ist lang genug, daß eine Frau ausgestreckt darin liegen kann. Ihr Gesicht gefällt ihm auf einmal nicht. Der Mord kommt ihm schrecklicher vor, wenn er schon geschehen *ist*. Hinter der verschlossenen Tür hört er noch immer das Wasser rinnen. Der Raum sieht bewohnt aus. Sie dreht sich nicht nach ihm um, aber nicht aus Unhöflichkeit. Es geht zwischen ihnen solange gut, als ihre Körper sich miteinander beschäftigen können. Sie erwartet noch Gäste.
Er nimmt einen Anlauf. Seine Bewegungen gehorchen nicht mehr dem Willen. Sie haben einander nichts mehr zu sagen. Er hat sie gestreichelt, als wische er etwas von ihr ab. Seine Augen sind die ganze Zeit offen. Ihre Stimme ist danach tiefer gewesen. Mit angehaltenem Atem wartet er darauf, daß das Wasser in die leere Wanne platscht. Im Schrecken erscheint ihr Hals gedrungen. Als er sie umarmt, hält er zur Vorsicht ihre Hände fest. Jeder von beiden hat sich darauf verlassen, daß der andere das Licht ausschaltet. Er bemerkt seinen Arm unter ihrem Körper. Sooft er

ausatmet, wird er schläfrig. »Als der auf dem Kopf stehende nasse Krug von der Unterlage gelüftet wird, entsteht ein Platzen.« Es ist so still, daß es anstrengend wird, ein Wort auszusprechen. Die Tür ist stärker als er. Ausgerissene Haarbüschel liegen umher. Im entscheidenden Augenblick hat es geklopft. Das Lachen erstirbt. Er sieht sie nur von den Zehenspitzen bis zum Hals. Es ist dieser Geruch, der mit keinem anderen Geruch der Welt zu vergleichen ist. Sie hatte viel für ihn übrig. Die Fliege versucht, sich immer wieder auf ihm festzusetzen.

Er ruft ungern Leute an, die er nicht kennt. Es *kann* nicht sein, daß sie tot ist. Als er in sie eindringt, hört sie endlich zu lachen auf.

Er macht sich leicht. Das Fenster kann man nur von innen öffnen. Plötzlich hat er kein Gegenüber mehr. Er plaudert, während er die Rechnung bezahlt. Der Schrei hat ihm gegolten. Alle Gegenstände stellen sich ihm in den Weg. Noch bevor er ihren Körper berührt, spürt er ihre Hitze an seinen Händen. Der Mann ist tief über die offene Motorhaube gebeugt. Er sieht ihr noch an, daß sie auf den Schrecken gut vorbereitet gewesen ist. Er erkennt im Finstern ein helles Rechteck. Das Bett ist unberührt. Er bemerkt eine Bewegung, wo er keine Bewegung erwartet hat. Als sie sich auf ihn legt, bekommt er wenigstens eine Richtung. Die Haare sträuben sich im Nacken. »Riechst du nichts?« Selbst die Luft behindert ihn. Als er den Schlüssel hineinstößt, fällt er auf etwas Weiches. Er hört das Geräusch eines Sprungs. Das Zimmer dreht sich um ihn. Der Stuhl ist umgestürzt. Wer hat sie als letzter gesehen? Sie bäumt sich auf.

Er hat nicht zuerst auf den Boden geschaut. Als er die Tür öffnet, herrscht Luftzug. Der Suchende findet etwas anderes als das, was er gesucht hat. Beim Öffnen des Schranks fällt ihm etwas entgegen. Es ist auffällig, daß er keinen Hut trägt. Das Futter ist aus dem Mantel gerissen. Eine Flüssigkeit quillt aus ihr hervor.

Beide haben sich darauf verlassen, daß der *andere* den Krug hält. Sie hebt das Haar gegen das Licht. Alles schläft. Ihr Oberkörper hängt zwischen Bett und Bettdecke heraus. Tag und Nacht läutet das Telefon.

Sie kann nirgendwohin zurückweichen als in die Duschecke. Er fragt sie dumm, ob sie verletzt sei. Als der hereinstürzende Bote ihrem Namen nicht das Wort ›hat‹, sondern das Wort ›ist‹ folgen läßt, erstarren schon alle in Erwartung des folgenden.

Er schlägt mit der Faust gegen die Tür, aber ohne den Mut der

Verzweiflung. Was er gehört hat, ist vielleicht noch ein Laut gewesen. Er weiß nicht, was er zuerst tun soll. Er ertappt sich dabei, daß er sich die Nase zuhält, obwohl nichts zu riechen ist. Er sucht wütend den Haken an den lose schlagenden Fensterläden. Der Schuh liegt mit dem Absatz nach oben. Der Teppich ist zu kurzhaarig, als daß sie sich in ihm festkrallen könnte. Sie ist schon zur Abreise bereit gewesen. Die Schubläden hängen kreuz und quer aus den Fächern. »Im Schreck tritt die Falte zwischen Nase und Mund schärfer hervor.« Das Schluchzen ist ihm peinlich. Er weicht allem aus, was vom Boden erhaben ist. Wenn ein Tier auf dem Rücken liegt, ist das ein schlechtes Zeichen. In einem solchen Augenblick bedeutet ihm ihre bloße Haut nichts. Die Katze schleicht in ein fremdes Zimmer.
Er spricht nicht mehr zu ihr, sondern zu sich selber. Es riecht nach Verbranntem. Man hat sie *gefunden. Die Leiche liegt immer erst im letzten Raum einer Wohnung oder im vierten Winkel eines Zimmers.*
Sie muß den Mörder gekannt haben. Als der Gegenstand vom Tisch fällt, erschrickt er über seine Hand, die schneller ist als der fallende Gegenstand und ihn auffängt. Er braucht sich nicht erst über sie zu beugen. Ihre Handflächen schauen nach oben. Im letzten Augenblick noch hat sie versucht, Würde zu bewahren. Das hat ganz schön geklatscht! Er atmet ungeschickt. Sie hat zu viel gewußt. Als Sterbende hat sie auch nicht mehr gesehen. *Jetzt sind die Zeitwörter für die Bewegungslosigkeit am Platz.* Sie ist nur mit den Strümpfen bekleidet. Er kann *gar* nichts tun. »Sie müssen jetzt sehr tapfer sein!« Er fängt viele Handlungen an. Er läuft einen Schritt. Haare hängen aus ihrer Faust. Er redet zu ihr wie zu einem Tier. Die Tote hat Tränen in den Augen.

9 Die falsche Entlarvung

An dieser Stelle der Mordgeschichte scheint bereits eine Person verantwortlich für die angerichtete Unordnung. Die Umstände der Tat zeigen *auf sie. Sie ist zuletzt mit dem Opfer gesehen worden. Sie hat schon vorher gegen das Opfer Handlungen von der Art gesetzt, daß sich jetzt die Mordhandlung als die dazugehörige schlüssige Endhandlung zeigt. Die Person und das Opfer wurden im erregten Gespräch, möglicherweise im Wortwechsel gesehen. Ein Händefuchteln wurde gesehen. Ein haßerfülltes Nachschauen wurde gesehen.*
Die Person hat in einem Verhältnis zum Opfer gestanden, das von der Person aus nach einer Änderung dieses Verhältnisses verlangt hat. Das Opfer hat einen Gegenstand besessen, den die Person besitzen wollte. Das Opfer hat eine Handlung nicht zugelassen, die die Person an ihm vollziehen wollte. Das Opfer hat eine Tat verrichtet, die die Person nicht geschehen lassen wollte. Das Opfer hat ein Verhältnis gestört, das die Person zu einer dritten Person aufnehmen wollte. Das Opfer hat sich an einer Stelle befunden, an der die Person sich befinden wollte.
Der Tod des Opfers hat der Person Vorteile gebracht. Die Person hat sich zur Mordzeit nicht an einem andern Ort befunden. Die Person ist zur Mordzeit einen Augenblick unbeobachtet gewesen.
Die Person ist über den Mord nicht genügend erschrocken. Die Person ist nach dem Mord in einem verwirrten Zustand angetroffen worden.
Am Tatort sind Spuren hinterlassen worden, die eindeutig auf die Person zeigen.
Die Person hat sich nach der Tat die Hände gewaschen. Die Person ist über den Mord zu sehr *erschrocken. Die Person zeigt sogleich das Gehaben eines Schuldigen. Die Person wird angetroffen, wie sie noch den Griff des Messers festhält.*
Die Person hat Spuren beseitigt.
Die Person wird beobachtet, wie sie den Tatort auf nicht gewöhnlichem Weg verläßt.
Die Person verspricht sich. Die Person verwickelt sich in Widersprüche. Die Person hat die Gesichtszüge eines Verbrechers. Die Person hat die Ohren eines Verbrechers.
Die Person hat die Kleidung nach der Tat sofort zur Reinigung gegeben. Die Person hat nach der Tat auf einmal viel Geld ausgegeben.

Die Person hat ihre Fingerabdrücke im Blut hinterlassen. Die Haare in der Faust des Opfers stammen vom Kopf der Person. Das Opfer hat noch den ersten Buchstaben des Namens der Person in den Staub schreiben können.

Die Person ist als guter Schütze bekannt. Die Person hat ein fliehendes Kinn. Die Person hat gehetzte Augen. Die Person gehört einem andern Volk an.

Die Person ist geflüchtet. Die Person hat bei der Festnahme Widerstand geleistet. Die Person antwortet nicht auf Fragen. Die Person leugnet. *Die Person gibt auch harmlose Tatsachen nicht zu. Die Person spricht von einem unbekannten Dritten. Die Person tut, als sage sie die Wahrheit. Die Person hat keinen festen Wohnsitz. Die Person geht keiner geregelten Arbeit nach. Die Person hat einen schlechten Ruf. Die Person tut unschuldig.*

All das sind Schuldbeweise.

Obwohl an dieser Stelle der Mordgeschichte die Umstände eindeutig auf diese Person zeigen, sind Zweifel möglich, solange die Person nicht gestanden hat. Trotz aller Gewißheit ist man unsicher, weil noch der eine entscheidende Satz fehlt. Gerade den Augenblick des Mordes hat in seiner vollständigen Abfolge niemand beobachtet. Über diesen Augenblick gibt es nur Zeugen im nachhinein. Man kann zwar sagen: die Person muß *es gewesen sein, aber man kann nicht sagen: sie* ist *es gewesen. Solange die Person den Satz nicht sagt, gilt sie zwar als schuldig, aber nur bedingt. Es kommt darauf an, ihr mit List oder Gewalt den Satz zu entlocken, an dem sich das schlechte Gewissen der Fragenden beruhigen möchte.*

In der Mordgeschichte kann man jedoch sicher sein, daß der, der besonders schuldig erscheint, unschuldig ist, und am Ende dieser Stelle in der Geschichte stellt sich das auch heraus.

Es gibt immer einen, dem die Lückenlosigkeit der stummen Schuldbeweise verdächtig vorkommt. Die Person ist ihm zu *schuldig.*

Dieser eine ist es auch, der nach der Lücke in den Beweisen sucht. Schlimm ist es nur, wenn er, wie oft, zugleich der Beschuldigte ist und keine Gelegenheit hat, die Lücke zu suchen. Aber man kann wieder sicher sein, daß er, jedenfalls in der Mordgeschichte, diese Lücke finden wird. Sonst wäre das ja keine Geschichte:

Zwei ist eine schöne, gerade Zahl!

Ein Hausierer neben einem Toten ist von vornherein verdächtig. Das erste, was er bemerkt, ist ein Regenmantel. Er beugt sich nicht einmal über die Leiche. Sie machen ein möglichst lebendiges Foto. »Alle Gegenstände sind Erzählungen der Tat.« Sie ziehen ihm den zugeknöpften Rock über die Schultern herunter, so daß er die Arme nicht mehr bewegen kann. Sie werfen ihm den Mantel über den Kopf. Auf dem Unterleib kleben welke Blätter. Sie wünschen ihm angenehme Träume. Die Obrigkeit erscheint zu zweit. Ein bitterer Saft dringt ihm in die Mundhöhle. »Diesen Händen ist alles zuzutrauen!« Sie können sehr unangenehm werden. Von der Straße aus schon hat er gesehen, daß in seinem Zimmer Licht brennt. Warum ist er auf Zehenspitzen gegangen?

Sie schneiden ihm sorgfältig die Fingernägel. Er darf sich nicht waschen. Sie sind von Haus aus gemütliche Leute. Ein gutes Gefängnis ist einer der ruhigsten Orte der Welt.

Sie nehmen ihn in die Mitte. Die Hände sind feucht, aber fest. Er kaut am Finger, um sich wachzuhalten. Sie erzählen sich vor ihm einen Witz, um ihm zu zeigen, daß er nicht mehr dazugehört. Jede seiner Verhaltensweisen ist eine Andeutung seiner Schuld. Er würde sich um alles in der Welt gern die Nase reiben.

Sie fahren ihm mit den Fingern über das Kinn. Er hat das Feuer zuerst für Sonnenblumen gehalten. Zufrieden schauen sie seine Schweißperlen an. Er wiederholt den Satz mit einer kleinen Veränderung. Er darf weder mit der Antwort zögern noch zu schnell antworten. Rund um die Leiche gehen alle auf leisen Sohlen. Jede seiner Bewegungen paßt zu dem Bild, das sie sich von ihm machen. Er spricht fließend. Er hat den Fall nicht bis zum Aufprall verfolgen können. Als er sich über die Sterbende gebeugt hat, hat sich ihr Blick gerade verschleiert. Beim Öffnen des Schranks hat er sich nichts gedacht. Er gesteht etwas, was gar kein Geständnis bedeutet. Die Schuhbänder wären für das Erdrosseln zu brüchig. Er ist froh über den plötzlich einsetzenden Regen gewesen.

Wie nicht anders zu erwarten, trinken sie Kaffee. Der Abdruck eines länglichen Gegenstandes ist noch im Futter des Koffers. Die Kratzer an der Wand könnten auch von einem Kind stammen. Welches Hemd hat er zur fraglichen Zeit getragen? Er erzählt ihnen seine Lebensgewohnheiten. Weil er im Gegensatz zu den Davonlaufenden bewegungslos dagestanden hat, ist er ihnen sogleich aufgefallen. Auf den Knall haben sie in verschiedene Richtungen geschaut. Er hat auf ihren Anblick ohne Befehl die Arme gehoben. Er scheint nicht außer Atem zu sein. Er ist sprungbereit gewesen, obwohl es keine Gelegenheit zum Springen gab.

Er hat abstehende Ohren. Er setzt die Füße beim Gehen nach außen. Seine Höflichkeit dient nur der Ablenkung. Der Tod muß sofort eingetreten sein. Auf einmal, nachdem gerade noch alle durcheinander auf ihn eingeredet haben, ergibt sich ein merklicher Augenblick der Stille, auf den dann allen das Weiterreden schwerfällt.

Er will sich durch das Antworten nicht vom Beobachten ablenken lassen. Sie hat die rotesten Fingernägel, die er je gesehen hat. Sie stecken ihm eine Zigarette zwischen die Lippen. Er redet lange, nur um *ein* Wort zurückzunehmen. Seine Mundecken werden weiß. Ein Selbstmord mit Schußwaffen läßt sich leicht vortäuschen. Die Flüssigkeit prickelt unbeachtet neben ihm. In seinem Beruf kann er doch kaum mit blutenden Tieren in Berührung kommen! Im Zimmer herrscht ein strenger Geruch. Wie von Sinnen hat er sich auf die Tote gestürzt.

Sie packen seinen Arm dicht oben an der Schulter, wo eingekrallte Finger weh tun können. *Vor* dem Schlag schon spürt er die Antwort seines Körpers. Sein Ohr glänzt verdächtig. Der Handschuh sieht größer aus, als er ist. Er bestreitet sein Eigentum an allem möglichen. *Sie* sind es, die hier die Späße machen!

Sie betrachten ihn teilnahmsvoll. Niemand fragt ihn nach seiner Vergangenheit. Die Leiche erzählt ihre Geschichte. Warum hat er vortäuschen wollen, daß sie *draußen* umgebracht worden ist? Später wird er keine Gelegenheit mehr haben, sich auszusprechen. Die Schuld ist ihm vom Gesicht abzulesen. Sie zwingen ihn zu stehen. In jeder seiner Geschichten fehlt die Vorgeschichte.

Er hat den Gegenstand nur *gefunden*. Der Schußwinkel läßt darauf schließen, daß das Opfer im letzten Augenblick aufgesprungen ist. Gerade noch ist dieses Bündel ein Mensch gewesen. Zwischen den Fragen ruht er aus. Seine Hand ist schneller als seine Gedanken. Um das Wort nicht zu vergessen, denkt er sich so viele Hilfswörter aus, daß er es doch vergißt. Ihre klopfenden Fingerspitzen warten auf seine Antwort. Wenn er nur irgend etwas an seinem Gegenüber anschaut, wird dieser ihn sofort wieder fragen. Zum Hohn schmücken sie seine Geschichte noch aus.

Wenn er allen Blicken ausgewichen ist, weiß er nicht mehr, wo er hinschauen soll. Den Weg zur Tür kann man mit wenigen Schritten zurücklegen. Als er den Kopf senkt, erwarten sie schon sein Geständnis. Auf den Schreck hat er einen Schluck trinken müssen.

Sie stellen sich, als verstünden sie ihn. Plötzlich wechselt er in der Erzählung aus der Vergangenheit in die Gegenwart. Sie vergeuden ihre Zeit mit ihm. Er sagt nicht das, was sie hören wollen. Wovon hat er eigentlich gelebt? Als *er* einmal ein Wortspiel verwendet, verfinstern sich ihre Gesichter. Indem sie ihn starr anschauen, versuchen sie seinen Atem zu verwirren. Sie behandeln ihn mit ausgesuchter Höflichkeit. Er hockt auf einem Schemel ohne Lehne. Sie haben schon andere weichgekriegt.

Seine Haut platzt sofort. Jede Beschreibung paßt auf ihn. In der Vergegenwärtigung des Mordes verkörpern die Gegenstände die Personen. Die Türklinke wird zweimal ganz niedergedrückt. Jede seiner Bewegungen wird ihm abgeschnitten. Seine Füße sind nach innen gestellt. »Das ist doch eine ungewohnte Zeit zum Händewaschen!« Sein Schweigen bedeutet Verstocktheit, seine Gesprächigkeit Ablenkung. Warum schluckt er auf einmal so krampfhaft?

Sie richten die Fragen an den Gegenstand so drohend, als wären sie an einen Menschen gerichtet. Wo er sich auch befindet, er ist in der Reichweite ihrer Arme. Sein Geständnis wird dadurch so klar, daß er es immer nur widerrufen hat. Sie liegt dort drüben! Die Schminke ist nicht sachgerecht aufgetragen. Er weiß ja nicht, was er redet. Sie entfernen sich so weit von ihm, bis sie nur noch ein *Wort* sind. »Wo Rauch aufsteigt, müssen auch Menschen sein.« Der Handschuh klatscht ihm ins Gesicht. Auf einmal fällt ihm das Wort ›Schnee‹ ein. Er hat den Boden noch nie aus einer solchen Nähe betrachtet. Er tut ihnen nicht den Gefallen, die Zähne aufeinanderzubeißen. Sie lachen immer zu früh. Er nützt eine wegwerfende Gebärde aus, wirklich etwas wegzuwerfen. Ausführlich klopft er sich die Asche von der Hose, damit sie sehen, was sie angerichtet haben. Vergebens versucht er zu sagen, was er denkt.

Sie wiegen ihn in Unschuld. Zu dieser Zeit sind die Menschen meist ohne Gesellschaft. »Alte Weiber sollten sich besser mit Stricknadeln beschäftigen!« Daß er nach links und nach rechts schaut, deuten sie als Suchen nach einem Fluchtweg. Sie drücken seinen Kopf auf den Tisch. Wenn sie nicht wüßten, daß er es ist, würden sie ihn nicht wiedererkennen. Von jetzt an wird er ihnen nicht einmal antworten, wenn sie ihn fragen, wie spät es auf der Uhr an ihrer eigenen Wand ist.

Sie glauben ihm auch nicht mehr, wenn er gesteht. Als sie fragen, pfeift er. Einer von ihnen lächelt ihm heimlich zu, als könnte er

sich ihm anvertrauen. Wenn sie vor dem Nebensatz Atem holen, kann er sie unterbrechen. *Als Unschuldiger ist er zur Schuld wie geschaffen.* Den Ausdruck auf dem Gesicht der Leiche deuten sie als Ausdruck des Erkennens. Als sie die Vorhänge zuziehen, wird er ganz ruhig. »Das ist nicht mein Hut!« So lange hat man ihn nicht berührt, daß selbst dieser Schlag ihm menschlich vorkommt. Der Stoff wirkt schalldämpfend. Das Denken soll er gefälligst ihnen überlassen! Sie zwingen ihn dazu, den Gegenstand zu berühren. Das ist ein sonderbarer Platz für eine Leiche! »Versuchen Sie, sich zu erinnern!« Nicht *er*, sondern die angegebenen Merkmale an ihm sind erkannt worden.
Sie lassen ihn über ein Hindernis steigen, damit sie seine Schuhsohlen betrachten können. Einer von ihnen zählt seinen Lidschlag. *Wenn ein Toter noch so eingehend beschrieben wird, kann er doch noch nicht wirklich tot sein!* Er vollführt eine Geste der Reue. Er wird ihnen noch aus der Hand fressen! Wenn er eine gefüllte Tasse hält, ist sein Zittern besser zu beobachten. Was hat ihn bei diesem Wetter ins Freie getrieben? Er kann sie nicht mehr ansehen. Draußen auf der Straße lacht eine Frau. Er hat ein Recht zu lügen. »Die Gegenübergestellten zeigen sich dem Zeugen in der Stellung und Bewegung, in der sich der Verdächtige dem Zeugen gezeigt hat.« Er hat sich ungewöhnlich benommen. Die bizarre Haltung läßt auf einen plötzlichen Tod schließen. Im Vergleich zu diesem Schrei ist ein Todesschrei fast ein Wohllaut. »Ich habe niemanden umgebracht!«
Sie überprüfen seine Reflexe. Der Raum ist ganz ausgeleuchtet. Er kann sich nicht über zu wenig Gesellschaft beklagen. Zuerst ist sie mit dem Rufnamen gerufen worden, dann aber, als sie wieder und wieder nicht geantwortet hat, hat man sie mit dem richtigen Namen gerufen. Er kann sich ihren Schmerz nicht vorstellen. »Das hätten Sie uns früher sagen sollen!« Er kommt so weit, daß er zur Gegenwehr nicht einmal mehr den Willen anstrengen muß. *Wie in einem komischen Film setzen sie ihre Handlungen noch einige Zeit nach der überraschenden Nachricht fort.*
Je förmlicher sie mit ihm sprechen, desto formloser gehen sie mit ihm um. Er ist es gewohnt, beschuldigt zu werden. Sie hat den Unbekannten noch mit einem Schrei zu erpressen versucht. Sie haben genug gehört. Es hilft ihnen nicht weiter, daß sie ihn starr anschauen. Gerade als er bereit ist, ihnen etwas zu verraten, reden sie so heftig auf ihn ein, daß er nicht zu Wort kommt. An dem

getrockneten Schweiß auf ihren Beinen erkennen sie, daß sie um ihr Leben gelaufen ist. Plötzlich mischt sich eine unbekannte Stimme in das Gespräch. Er vermeidet es, in die Richtung des Geräusches zu schauen. Statt Schmerzen bereiten sie ihm Unbehagen. Sie verachten ihn, weil er es nicht gewesen ist. Neidisch beobachten sie, wie er sich erhebt. Es ist nicht das letzte Mal, daß sie ihn gesehen haben. Er zeigt ihnen möglichst viele von den Gesten, die sich ein freier Mann erlauben kann. Als sie ihn anrufen, zucken nicht einmal seine Hände in den Taschen. Beim Hinausgehen öffnet er die Tür viel zu weit.
Als er das Kino betreten hat, ist aus der Ecke eine Gestalt auf ihn zugesprungen und hat ihm die Karte abgerissen.
Was hat er übersehen?
Auf der elektrischen Uhr ist es später als auf seiner Uhr! Ihre Fingernägel färben sich schon dunkel.
Er bleibt plötzlich stehen.
Sie hat allzu still geschlafen.
Der Sack ist ein Mensch.
Jetzt!

10 Die Ruhe vor der Entlarvung

Vor der Entlarvung beginnt die Mordgeschichte um sich selber zu kreisen. Alles, was durch die Beschreibung schon bekannt ist, wird noch einmal durchgespielt. Noch einmal kommen alle Beziehungen zur Sprache, die möglich sind. Wie kann das verschobene Bild der Ereignisse eingerichtet werden, damit die Eindeutigkeit entsteht?
Jeder Gegenstand wird noch einmal nach seiner Geschichte gefragt. Für jeden besonderen, ungewöhnlichen Zustand an einem Gegenstand werden Geschichten gesucht.
Es wird danach getrachtet, an jedem Gegenstand die Geschichte zu bestimmen, die mit den anderen Geschichten die einzig mögliche Tatsache ergibt.
An dieser Stelle der Beschreibung tritt in der Regel eine vollkommene Ruhe ein. Nach außen geschieht nichts Außerordentliches mehr. Die Beschreibung ist eine Beschreibung der Gedanken. Immer wieder werden die Gegenstände, auf die der Mord zeigt, aufeinander bezogen und untereinander ausgetauscht. Jeder Gegenstand wird überprüft, ob er auf seinem Platz ist. Jeder Gegenstand, der auf einem Platz ist, auf dem er früher nicht war, wird überprüft, auf welche Weise er seinen Platz geändert hat.
Die Ordnung, die sich zeigt, muß *scheinbar sein. Der versteckte Widerspruch wird gesucht. Es wird nach dem Zeichen gesucht, das übersehen wurde. Was fügt sich nicht ineinander? Welche Person hat sich schon durch ein Wort oder eine Handlung verraten? Wo ist die Verbindung zwischen den noch immer beunruhigend für sich allein stehenden Gegenständen?*
Dem, der sich das fragt, zeigen sich die Gegenstände in dem größtmöglichen Durcheinander. Jeder Zustand, über den er nachdenkt, erscheint bereits endgültig. Er steht den Gegenständen hilflos gegenüber. Der Fall erscheint als abgeschlossen. Was freilich der Fall ist, zeigt sich ihm nur in unvollendeten Sätzen, in denen immer das eine Wort fehlt. Etwas ist vergessen worden. Die Bedeutung einer Einzelheit ist nicht erkannt worden.
Immer wieder sagt der Betreffende sich vor, was er bemerkt hat, um jetzt zu bemerken, was ihm entgangen ist. Es geht nur um eine Einzelheit. Durch das Fehlen dieser Einzelheit scheint jeder Gegenstand für sich allein zu sein.

Die vollkommene Ruhe und Beruhigung, in der sich ihm jetzt nach all den Geschichten die Gegenstände zeigen, läßt seine Erinnerung nicht zur Ruhe kommen. Daß jeder seiner Schlüsse kein Ende findet, bringt ihn durcheinander. Es bringt ihn durcheinander, daß ihm alle Gegenstände, obwohl sie am Platz sind, durcheinandergebracht erscheinen.
Die Klärung geschieht in der Mordgeschichte in der Regel durch einen Zufall. Sie geschieht so, wie wissenschaftliche Entdeckungen geschildert werden. Dem Betreffenden fällt bei einer alltäglichen Handlung plötzlich etwas auf. Ein Mißgeschick, das ihm zustößt, bringt die Entdeckung. Es genügt vielleicht ein Blick in eine ungewohnte Richtung oder ein Abweichen vom gewohnten Weg oder ein Erwachen zur ungewohnten Zeit.
Die Klärung des Falls geschieht also nicht durch Nachdenken, sondern sie stößt zu, von außen, durch Zufall. Er mußte nur immer darauf gefaßt sein.
Als sie sich jetzt plötzlich ergibt, erschrickt er. Der Klärung voraus geht in der Mordgeschichte eine Häufung von Sätzen, die nur aus Hauptwörtern bestehen. In der Mordgeschichte wird dann aber noch nicht beschrieben, worin die Klärung besteht. Es wird nur beschrieben, daß der Betreffende sie gefunden hat. Die Beschreibung zeigt von da an nur die Handlungen, die sich aus der Klärung ergeben. Man weiß an dieser Stelle der Geschichte zwar, daß der Betreffende die eindeutigen Beziehungen zwischen den Gegenständen hergestellt hat, aber die Nennung dieser Beziehungen wird aufgeschoben für die Entlarvung.
Von dem Augenblick der Entdeckung an wird die Beschreibung der kreisenden Gedanken zu einer Beschreibung des Handelns. Vom Augenblick der Entdeckung an verstummen, jedenfalls in der Mordgeschichte, alle Gedanken, und die Mordgeschichte besteht bis zur Entlarvung nur noch aus Handlung:

Es gibt nichts, was leerer aussieht als ein leeres Schwimmbecken. Er zeichnet auf, an was er sich erinnert. Ein Finger ist besonders gekrümmt gewesen. Er hat es versäumt, hinauf zur Decke zu schauen. Er ist vor der Leiche zurückgewichen. Die Gegenstände bilden einen Winkel miteinander, der doch etwas erzählen müßte. Er versucht sich vorzustellen, daß es einmal geschehen ist. Vor Unbehagen atmet er unregelmäßig. Die Zeitung ist auf derselben Stelle liegengeblieben, auf die sie hingeklatscht ist. Die Endlosigkeit jeder möglichen Geschichte verwirrt ihn. Die ihm bekannten

Einzelheiten zeigen den Mord, als ob er ohne Mörder geschehen wäre. Als er auf den Klingelknopf gedrückt hat, hat sich kein Gegenstand im Zimmer bewegt. Die Sitzlehne war vornüber auf das Lenkrad gefallen. Zwischen den Rolläden ist ein kreisrundes Loch erschienen. Trotz ihres Schreckens hat sie keinen Tropfen aus dem gefüllten Glas verschüttet. Der Schürhaken ist plötzlich wieder auf seinem Platz gewesen. Die Hühnerfeder auf dem Messer ist ihm lächerlich vorgekommen. Durch die dicke Glasscheibe hat er die unhörbaren Bewegungen betrachtet, mit denen die wartende Menge die Todesnachricht beantwortet hat. Wenn er das eigene Gesicht ansieht, kann er sich dazu sofort die Geschichte vorstellen, die ihm einmal, wenn auch vor langer Zeit, zugestoßen ist, während er, wenn er *ihr* Gesicht ansieht, sich nicht einmal die Geschichte vorstellen kann, die ihr zugestoßen ist einen Augenblick, bevor er sie ansieht. Der Spalt unter der Tür ist breit genug gewesen, daß das Rinnsal durchfließen konnte, ohne abgelenkt zu werden. Das Rad hat nicht so dagelegen, als ob es von selber umgefallen wäre. Zur gleichen Zeit sind mehrere Rolläden heruntergelassen worden. Sie hat den Toten noch auf den Knien hin- und hergewiegt, soweit sie konnte. Unter dem Vorhang haben sicherlich keine Schuhe hervorgeschaut. Beide haben sie das Lieblingsgetränk des Toten getrunken. Die falschen Fenster sind *wirklich* falsche Fenster gewesen. Vor dem Hindernis hat sich der Schaum gestaut. Der komische Schmutz im Gesicht hat den Toten lebendig aussehen lassen. Das Bein hatte sich merkwürdig verdreht. Weil sich der erste Knall als harmlos erwiesen hat, hat beim zweiten Knall niemand mehr aufgeschaut. Jemand ist mit tropfenden Händen in das Zimmer gestürzt. Die Katze hat auf dem Boden feuchte Spuren hinterlassen. Warum hat sie die Handschuhe nie ausziehen wollen? Als er auf die Straße getreten ist, ist er vor dem offenen schwarzen Hinterteil des Lastwagens zurückgeschreckt. Er hat es vermieden, den Stiefel anzuschauen. Jemand hat für den Toten den Hörer aufgelegt. Das Handtuch war gerade erst benützt worden. Wenn er den Geruch doch wenigstens als süßlich hätte bezeichnen können! Zum ersten Mal fällt ihm auf, daß die Gegenstände wirklich stumm sind. Er hat mit dem Schließen der Türen zuviel Zeit vertan. Als er den Hörer abgenommen hat, hat er in der Muschel nur ein lautes Atmen gehört. Kann er es aus der Zeitung erfahren haben? Da der Regenwurm mit Sand überkrustet war, muß wohl in der Nähe Sand gewesen sein. Das Gestammel ist echt gewesen. In diesem Augenblick hat niemand an Verhaltensmaßregeln gedacht. Sie haben sich schützend über ihr Eigentum geworfen. Wo die Kugel aus der Tür getreten ist, hat das Holz gesplittert. Vor Angst hat er das Gleichgewicht verloren. Der umgeworfene Mülleimer deutet auf eine überstürzte Flucht. Die Frucht mußte gerade erst auseinandergebrochen worden sein. Das Reinigungsmittel hat nichts mehr ausgerichtet. Er hat auf dem falschen Fuß gestanden. Als er den Schwamm im Wasser ausgequetscht hat, sind keine Luftblasen mehr emporgestiegen. Plötzlich waren alle auseinandergestoben. Er hatte es aufgegeben, den Mantel zuknöpfen zu wollen. Ein Lehmklumpen war aus einiger Höhe auf die Straße geklatscht. Der Taumelnde hatte mit den Händen den Kopf nicht mehr erreichen können. Die Finger haben krampfartig gezuckt. Er argwöhnt noch immer, selbst der Mord wolle ihn nur von etwas noch Schlimmerem ablenken. Eine Lade ist einen Spalt breit offen gewesen. Er hatte versucht, während er umfiel, nicht lächerlich zu wirken. Das Fruchtfleisch des Pfirsichs ist am Kern schon eingetrocknet gewesen. Beim Ausdrücken war die Hülle der Zigarette aufgeplatzt. Durch den Knall haben sich bei jedem für den Bruchteil einer Sekunde die Augen geschlossen. Warum hatte sie sich nach dem Mord die Haare färben lassen? Er ist zu Boden gestürzt, wie nur ein durch das Herz Getroffener zu Boden stürzen kann. Die Zeitung ist nicht einmal über ihm ausgebreitet worden. Die Augen der gejagten Katze hatten Kreisbewegungen angedeutet. Plötzlich war die Stimme am Telefon durch das Freizeichen unterbrochen worden. Der Schrecken hatte seinem Körper eine Richtung gegeben. Ihre Pupille hatte gepulst. Beim Versuch, das Papier aufzuheben, hat er sich die Fingernägel blutig gerissen. Er hatte einen Laut gehört wie den Schreckensschrei eines Pferdes. Er hat mit der Rasierklinge an dem Strick keinen Widerstand gespürt. Als er die Tür des Autos aufgerissen hatte, war ihm etwas entgegengefallen. Nach dem Regen war es windstill geworden. Nur in die eine Richtung hatten sie nicht geschaut. Er hatte in dem Wirrwarr auf den ersten Blick eine Gestalt gesehen, die er später zu seiner Verzweiflung nicht mehr wahrnahm. Er hat das aus den Adern strömende Blut rauschen hören. Dem Ton nach war die Stimme an ein Kind oder überhaupt nur an einen Gegenstand gerichtet. Er hatte eine stulpenlose Hose getragen. Die Menschlichkeit des Mörders hat sich an seinen Rechtschreibfehlern gezeigt.

In dem friedlichen Raum, in dem jede Bewegung und jedes Geräusch sich aus den vorhergehenden natürlich ergeben hatten, waren durch den Schrei plötzlich einige natürliche Bewegungen und Geräusche übersprungen worden. Zuerst hatten mehrere sich getroffen gefühlt. In der Stille nahm er, kaum daß er das *Wort* dachte, auch schon den *Geruch* von bitteren Mandeln wahr. Die Bewegungen waren die Bewegungen von Beschuldigten gewesen. Ein Dazukommender war fröhlich zur Tür hereingeplatzt. Das Schlafwandlergebaren des Verzweifelten war ihm unerträglich geworden. Nach dem Mord hatten die vorher zum Verkauf angebotenen Waren noch immer unanständig auf dem Tisch gelegen. Das lauwarme Wasser ist ihm durch den Schrecken brühheiß vorgekommen. Die Tatsachen zusammengenommen ergeben noch immer nicht *die* Tatsache. Niemand ist auf den Anblick gefaßt gewesen. Dem Schrecken war die Verlegenheit über den Schrecken gefolgt. Obwohl sie ganz still waren, hatte ihn ihre Anwesenheit gestört. Das Kind ist mit der Hand voll Luftballons auf ihn zugerannt. Während der Mörder den Finger gekrümmt hat, muß er Todesangst ausgestanden haben. In dem stehenden Auto war noch immer der Motor gelaufen. Senkrecht ist er hineingegangen, waagrecht ist er herausgekommen. Er hat ein Versteck für seine Hände gesucht. Als er das Messer aus dem Holz gerissen hat, hat es gekracht. Die Zahnbürste ist mit den Borsten nach oben liegengeblieben. Dadurch, daß das Gedränge so dicht war, ist der Ermordete erst einige Zeit nach seinem Tod umgefallen. Die Zeitung ist schubweise über die Straße gerutscht. Das Blut war zuerst aus dem Ohr gedrungen. Er hatte sich *Wörter* nicht vorstellen können. Er ist nur einen Schritt weggewesen und kehrt mit vielen Neuigkeiten zurück. Das Bücken ist zu einem Fallen geworden. Er hatte keine Augen gebraucht, um festzustellen, daß in dem Raum ein Toter lag.
Sein Körper spürt die Klärung schon, bevor sie ihm bewußt ist. *Die Gegenstände, über die er nachdenkt, scheinen plötzlich irre geworden.* Der Atem beschleunigt sich. Die klatschweiche Frucht fällt ihm aus den Händen. Er wiederholt das Mißgeschick, das ihm zugestoßen ist. Er hat doch sonst nie auf dem Rücken geschlafen! Er ist auf den Gartenschlauch getreten! Das Haarwaschmittel war aus der Tube gequollen! Die Zeiger der Uhr konnten von jedem verrückt werden!
Er fängt die Stehlampe gerade noch auf.

Er findet die Streichholzschachtel nicht. Er stolpert über ein Hindernis, das er nur vermutet hat. Er greift mit den Fingerspitzen in die Tasche, um den Stoff nicht zu beschmutzen. Sofort ist er hellwach. Das also hat er übersehen!
Der Stiefel, der innen noch warm gewesen war –
Die Spitze des Daumens, die aus dem Handschuh herausgeschaut hatte –
Das baumelnde Vorhängeschloß an der Besenkammer –
Der Lippenstift auf den Zähnen –
Das Haarbüschel im Rinnstein –
Der Rolladen –
Der hellerleuchtete leere Raum in der Nacht –
Der Abfallkübel –
Das Schotterhäuschen –
Das Versteckspiel –
Die Warze –
Die Wäscheklammer –
Der Knopf –
Das ist es gewesen.
Im Augenblick der Klärung erschrickt er so, als geschehe der Mord noch einmal und er schaue zu.
Er zieht den Mantel an und macht sich auf den Weg.

11 Die Entlarvung

Die Beschreibung der Entlarvung hat die Form der Beschreibung des Mordes. Auch ihr geht eine Beschreibung der größtmöglichen Ordnung voraus, damit die Unordnung, die durch die Entlarvung bewirkt werden wird, eine um so größere sein kann. Es wird also wieder eigens nur das beschrieben, was in Ordnung ist.

Dem Dazukommenden, der den Mörder entlarven wird, zeigt sich die Ordnung wieder in einer besonderen Form. Die Wirkung der Entlarvung ist um so größer, je spielerischer und sorgloser die gegenwärtige Ordnung ist: wieder geht ein Spiel als die besondere Form *der Ordnung vor sich.*

In dem Spiel denkt keiner der Teilnehmer an das, was kommen wird, sondern nur an das, mit dem er sich gerade beschäftigt.

Die Entlarvung geht vor sich inmitten einer Festlichkeit oder bei einem Vergnügen. Sie geht vor sich mitten in alltäglichen Beschäftigungen.

Sie wirkt, weil sie den Lauf der Dinge unterbricht, zunächst auf jeden unbeteiligten Dritten als Störung. Es kann auch sein, daß man zunächst glaubt, sie gehöre zum Spiel. Selbst der Entlarvte versucht die Entlarvung zunächst als Spaß aufzufassen. Er geht spielerisch sogar auf die Entlarvung ein, indem er etwa scherzhaft gesteht. Er fragt auch spielerisch nach den Einzelheiten der Geschichte, an der er selbst mitgewirkt haben soll, so wie jemand, der im Schlaf gesprochen hat, fragt, worüber er denn gesprochen habe.

Seine Fragen und die Antworten des Dazugekommenen beginnen als Frage-und-Antwort-Spiel, das von vornherein mit der Wahrheit nichts zu tun zu haben scheint und nur als Annahme vor sich geht, verwandeln sich dann aber in einem allmählichen Übergang, wobei der Umschlag in den Ernst erst nachher festgestellt werden kann, in ein ernstes Verhör.

Zuerst hat der Verdächtige gefragt, jetzt fragt auf einmal der andere.

Die Entlarvung geschieht nicht gewaltsam, sondern mit List. Der Täter verspricht sich.

Der Augenblick, in dem er sich verspricht, ist für die bis jetzt noch ungläubigen Zuhörer ein Augenblick des schrecklichen Staunens. Wie beim Vorgang des Mordes weichen sie zurück. Auch der, der den Mörder entlarvt hat, erschrickt. Obwohl er von dessen Schuld überzeugt ge-

wesen ist, kommt ihm die Entlarvung, jetzt, da der Entlarvte mit eigenen Worten gesteht, als Unrecht vor.
Einen Augenblick nach dem Erschrecken bewirkt die Entlarvung bei allen Verlegenheit. Diese Verlegenheit nutzt der Entlarvte, in der Mordgeschichte, aus, die Gesellschaft noch einmal zu hintergehen. Er bekommt sie in seine Gewalt. Wenn sie in seiner Gewalt ist, kann er ihr auch ausführlich seine Geschichte erzählen. Während er Vorbereitungen trifft, die Aussagen der Anwesenden unmöglich zu machen, klärt er die noch ungeklärten Fragen. Er nennt, wie es die Regel der Mordgeschichte verlangt, Ursache und Ziel seiner Handlungen, weil nach seiner Ansicht keiner seiner Zuhörer mehr die Gelegenheit haben wird, das Gehörte mitzuteilen.
Dann aber stellt sich, jedenfalls in der Geschichte, heraus, daß auch dieser Vorgang noch zu der List dessen gehört, der den Mörder entlarvt hat.
Er hat sich nur deswegen in die Gewalt des andern begeben, damit dieser eindeutig werden konnte. Er hat aber vorgesorgt, daß der Mörder mit der Gewalt nichts mehr anfangen kann. Die Waffe, mit der er etwa droht, ist gerade nicht in die Richtung der Waffe gerichtet, die plötzlich ihn bedroht.
Er versucht zu fliehen oder gibt auf.
Flieht er, so endet die Flucht, in der Mordgeschichte, in der Regel mit seinem Tod. Der Tod des Mörders beendet den Fall.
In der Beschreibung der Entlarvung entsteht also eine Klärung der Verhältnisse, die vollendeter nicht gedacht werden kann. Es gibt kein Geheimnis mehr. Die Vorgänge und Zustände vorher sind nur deswegen so vieldeutig gezeigt worden, weil dadurch die Frage nach der Eindeutigkeit gestellt werden kann. Jetzt sind alle Vorgänge und Zustände eindeutig. Jede Frage hat ihre Antwort. Es gibt keinen Zweifel mehr. Alles Innere ist nach außen gekehrt. Jedes Verhältnis zwischen Gegenständen und Personen ist aufgeklärt und gesichert. Jede Handlung ist von ihrem Anfang bis zu ihrem Ende verfolgbar. Jeder beschriebene Gegenstand gehört zu einem andern beschriebenen Gegenstand. Jede Person gehört zu einer andern Person. Jeder bestimmte Gegenstand gehört zu einer bestimmten Person. Jede bestimmte Person gehört zu einem bestimmten Gegenstand. Keine Eigenschaft, keine Herkunft, keine Ursache ist mehr im Dunkeln.
Jede Unordnung in der Mordgeschichte ist nur hingenommen worden, weil schließlich, in der Geschichte, sich die Ordnung einstellen muß, wenn diese dann auch, in der Regel, enttäuschend ist:

»Das scheint ein Kind zu sein, das man besonders oft rufen muß!«
Er bewegt sich in der Gesellschaft wie selbstverständlich. Als erstes von allen Geräuschen hört er ein Klirren. Er bedient sich selber. Sie wirft ihm einen unmißverständlichen Blick zu. Er hält das Glas schräg in der Hand. Bis jetzt hat er noch kein Wort gesprochen. Atemlos wartet er auf den ersten Ton aus dem Musikautomaten. Er beobachtet niemanden. Sooft das Licht aufzuckt, versucht er seinem Gegenüber die Hand zu reichen, aber es wird immer wieder so schnell dunkel, daß er die Hand des andern verfehlt. Als er nach dem Glas greift, kommt ihm jemand zuvor, aber als der andere sieht, daß auch er nach dem Glas gegriffen hat, läßt er davon wieder ab, worauf sie sich nicht einigen können, wer von beiden nach dem Glas greifen soll, bis schließlich ein dritter nach dem Glas greift. Er versucht, jemandem auszuweichen, der ihm entgegenkommt, weicht aber in die gleiche Richtung aus wie der andre, so daß er jetzt in die andere Richtung ausweicht, in die aber inzwischen auch schon der andre ausgewichen ist. Er steht in der Tür, die Hand an den Türrahmen geklammert wie ein Hausierer. Er geht in das Innere des Raumes, ohne sich umzuschauen. Wenn er ihn von hinten anruft, wird er entweder regungslos stehenbleiben oder sich schnell umdrehen. Hier kann niemand davonlaufen.
Das Mißgeschick mit der Kerze, die nicht stehenbleiben *will*, trifft ihn noch einige Male. Gerade als er an die Reihe kommt, ist die Flasche leer. Er scheint lange Zeit nicht mit Dingen umgegangen zu sein. Immer wieder rutscht er mit dem Finger vom Lichtschalter ab. Wer ist dieser Mann auf dem Boden? Er spielt so lange mit der schaukelnden Vase, bis sie umfällt. Je mehr er sich betrinkt, desto abgerundeter erscheinen ihm die Gegenstände. Er sieht etwas, von dem er noch nicht einmal geträumt hat. Er versucht, das Glas wie unabsichtlich umzustoßen und dann aufzufangen, aber das ›wie‹ vor dem ›unabsichtlich‹ stört ihn, bevor er noch begonnen hat. Er schaut ihr in die glasigen Augen. Alle Bemerkungen gelten nur dem, was die Sprechenden sehen. Wenn man ihn anredet, gibt er ja ganz vernünftige Antworten! Er fragt sein Gegenüber, was er selber gerade noch gewollt hat. Er trägt einiges zum Gespräch bei. Jeder von beiden versucht als erster bei dem leeren Stuhl zu sein, es aber dem andern nicht zu zeigen. Als er nebenbei über die Bürste streicht, spritzen den Umstehenden Tropfen ins Gesicht. Die weiche Butter rutscht langsam vom

Messer. Er sucht in allen Taschen nach einem Taschentuch. Er streichelt den Rücken der Frau mit einem aufgerissenen Fingernagel. Er bückt sich, als schon ein andrer sich bückt. Er schnuppert an einem Fleisch, das ein Scherzartikel ist. Er lacht entwaffnend. Als die Fliege bis an den Rand des Glases gekrochen ist, schnippt er sie wieder zurück.
Er stolpert, und etwas Hartes fällt aus seiner Stecktasche. Er erklärt der Frau, wie wohltuend sie durch ihre Trauerkleidung von den anderen absteche. Wenn er ihn bemerkt hat, so zeigt er es nicht. Er bahnt sich gähnend einen Weg durch die Gesellschaft. Seine tastenden Finger treffen auf eine Unebenheit der Haut. Als er im Verein mit den andern Hand an den umgestürzten Gegenstand legen soll, stellt er sich so ungeschickt an, daß er allen im Weg ist. Er braucht beide Hände, findet aber keinen Platz, wo er inzwischen das Glas lassen könnte. *Ein* Fingernagel ist nicht geschnitten! Als er entschuldigend die Schultern hebt, stößt er gegen das Tablett, das man vorbeiträgt.
Er scheint immerzu auf etwas zuzugehen, biegt aber jedesmal davor ab. Als er das Glas wegstellen will, ist die Unterlage nicht mehr da. Er grüßt von weitem jemanden, den er gar nicht kennt. Er stellt sich an das Ende der Reihe, merkt aber erst viel später, daß die vor ihm gar nicht mehr zur Reihe gehören. Er hält einen Gegenstand zwischen den Zähnen, um wenigstens eine Hand frei zu haben. Er öffnet der Frau die Tür, während sie durch die Nebentür geht. Er grüßt jemand, der jemand hinter ihm grüßt. Er rückt mit dem Messer in der Hand die Krawatte zurecht. Er sagt niemand, daß im Zimmer nebenan eine Leiche liegt.
Es gibt einen, nach dem sie nicht mehr fragen.
Die Gesellschaft ist unter sich.
Er greift so kurz nach der Klinke, daß seine Hand abrutscht. Er geht lange mit einem Gegenstand umher, für den er keine Ablage findet. Sooft er sich bewegt, bewegen sich die Gegenstände ringsum. Er verfehlt ihre Hand, als er sie schütteln will. Er schraubt immer wieder den falschen Verschluß auf den Behälter. Alle Sitzplätze sind schon besetzt. Er wird ihn *erkennen*, obwohl er ihn nicht *beschreiben* kann. Niemand denkt sich etwas bei seinem Anblick. Sein fester Händedruck verrät einiges über ihn. Er ist so ungeschickt, daß er nur mit sich selber zu tun hat. Es fällt ihm auf, daß er der erste ist, der den Gegenstand benützt. Er stellt sich mit dem Rücken gegen die Wand. Plötzlich reibt er sich heftig die

Nase. Das Kissen sinkt langsam um. *Die Entlarvung geht in der Regel in geschlossenen Räumen vor sich.*
Er kann nicht von ihr wegschauen. Der Pfirsichkern in der Hand wird ihm allmählich unangenehm. Der Gartenschlauch an der Wand paßt nicht zur üblichen Einrichtung. Als er mit dem Kopf auf ihn deutet, nickt sie. »Warum sagen Sie mir das erst jetzt?« Er ist bereit, mit dem Lachen notfalls sofort abzubrechen. Er läßt ihn nahe an sich herankommen. Während er sich vergebens abmüht, die Flasche zu öffnen, unterhält er sich leichthin mit ihr. Es gelingt ihm nicht, das Buch wieder in die Lücke zu schieben. Je näher die Suchenden kommen, desto mehr schwillt der versteckte Gegenstand an. Ihre Nase erinnert ihn an den Tod. Würde er auf dem letzten Wort bestehen wollen, würde er stillschweigend zugeben, daß er sich beschuldigt glaubt.
Er erschrickt, als die leere Fläche, auf die er gestarrt hat, sich plötzlich mit einer Gestalt füllt. Er bewundert laut den dunklen Fleck an der Tapete. Wenn er errät, wer ihn von hinten berührt hat, hat er gewonnen. Er fragt seelenruhig nach einem Schürhaken. Er will sie rufen und weiß ihren Namen nicht. Jeder von ihnen ist schon einmal an einem Abfallhaufen vorbeigegangen. Als er die Worte zum ersten Mal in der Gesellschaft ausspricht, werden sie falsch. Er bringt ihr etwas nach, was sie absichtlich verloren hat. Die leere Fläche auf dem Tisch erschreckt ihn. Nur ein Blinzeln, und alles wäre anders gekommen.
Er erkundigt sich, wieviel Ausgänge es gibt. Einer ist zuviel im Raum. Er wagt es nicht, noch einen Gegenstand anzufassen. Er setzt sich gekränkt abseits, aber doch nicht so weit weg, daß man ihn nicht sofort herbeiholen könnte. Hinter den vielen Gegenständen im Raum kann man sich leicht verschanzen. Sie bittet ihn, ihr eine nähere Beschreibung zu ersparen. Sein Blick nimmt nichts mehr auf. Er ist so sehr mit sich selber beschäftigt, daß von ihm keine Gefahr droht. Plötzlich fängt er an, sich von ihnen zu unterscheiden. Im Spiel sagen alle, *sie* seien es gewesen.
An der jähen Bewegung dessen, der in die Rippen gestoßen worden ist, erkennt er, daß sie einander auf ihn aufmerksam machen wollen. Wenn er sagt, er *wüßte* es, zeigt das nur, daß er nicht *sicher* ist. Alle seine Gebärden kommen verspätet. Er nimmt den Hut, geht aber nicht. »Sie fragen zuviel!« Bei dem Schreckgeräusch *schließen* sich die Augen, bei einem schrecklichen Anblick *weiten* sie sich. Jedermann hier scheint den Geruch für selbstver-

ständlich zu halten. *Bevor der Mörder entlarvt wird, werden alle in Frage kommenden Personen nicht mehr beschrieben.*
Sie bitten ihn, endlich zur Sache zu kommen. Er hat absichtlich den Wasserhahn tropfen lassen. Nachdem allmählich alle zu sprechen aufgehört haben, ist nur er es, der weiterspricht. Er versucht, seiner zum Grüßen ausgestreckten Hand, die übergangen worden ist, nachträglich einen anderen Sinn zu geben. Auf eine Frage, die nur einer beantworten kann, antworten mehrere. Die Wirklichkeit jetzt entspricht seinen Vorstellungen in einem Maß, daß er sie nicht mehr aushält und von sich aus zu ändern versucht. Es ist zu wenig Platz, als daß er sich breitbeinig hinstellen könnte. Jede Bewegung kann jetzt tödlich sein. »Was hat das mit mir zu tun?«
Der, auf den er deutet, ist nicht der, der ihn im Spiel berührt hat. Vor Ausgelassenheit müssen sie sich an den Gegenständen zu schaffen machen. Sie starren ihn an, als sei er nicht möglich. Der andere macht gute Miene. Die Worte, die der Hausierer spricht, gehören auf einmal nicht mehr zu den Gegenständen, die sich im Raum befinden. Im ersten Augenblick fühlen sie sich nur gestört. Er spricht noch immer im spielerischen Ton. Die überflüssigen Dinge in seinen Händen verkehren den Sinn seiner Worte. Sie sind nicht zu solchen Scherzen aufgelegt. Er deutet mit dem Glas in der Faust auf den Mörder.
Als das, was er sich gerade noch vorgestellt hat, wirklich wird, erschrickt er. Der Verdächtige steht mit dem Rücken zu den andern und lacht. Der Hausierer bleibt ernst. Niemand rührt sich von der Stelle. Daß er in diesem Augenblick stolpert, finden nur die Kinder komisch. Der Name ist noch nicht genannt worden. »Sie haben eine lebhafte Phantasie!« Eine Bewegung wäre jetzt verdächtig. Das Gesicht des Entlarvten zeigt den Ausdruck der Erleichterung. Die Antworten kommen wie aus der Pistole geschossen. Der Abstand von ihm zum Nächststehenden ist plötzlich größer als der zwischen allen anderen im Raum. Er stellt sich schuldig. *Der Entlarvte wird mit vollem Namen angesprochen.* »Wie kann ich an zwei Orten zugleich gewesen sein?« Der Hausierer erzählt die Geschichte, bei der endlich sich ein Satz aus dem andern ergibt. Das Gesicht des Entlarvten ist anders, obwohl es sich nicht verändert hat. Er wird den Geruch nicht los. Noch immer hoffen alle, daß diese Entlarvung entweder ein Irrtum oder wenigstens noch nicht die endgültige Entlarvung ist. Der Entlarvte spielt

scheinbar mit. Sie sprechen in einem Ton, als probten sie eine Rolle. »Und dann habe ich also auf der Flucht den Stiefel umgeworfen?« Der Hausierer nippt wachsam an der Flüssigkeit. Er hat als erster die blöde Traurigkeit des dicken Kindes bemerkt, das von den andern verspottet an der Mauer stand. Der Entlarvte kann nicht aufhören, über das ganze Gesicht zu grinsen. Obwohl sie alle die Auflösung des Rätsels gewünscht haben, sind sie enttäuscht, daß das Rätsel nach der Auflösung nicht weiterbesteht. »Wie habe ich so nahe an ihn herankommen können, ohne daß er mich gesehen hat?« Plötzlich schnellt der Entlarvte herum. »Niemand wird den Raum lebend verlassen!«

Sprachlos schauen sie einander an. Vor Schreck ist das Kinn körnig geworden. Die Kleider schlottern an den Körpern der Bedrohten. Der Entlarvte hört nicht auf munter zu pfeifen, während er auf sie zugeht. Seine Bewegungsfreiheit ist nicht groß genug, daß er die Machtgesten ganz ausspielen könnte. Sie wollen es nicht glauben. Er hat nichts mehr zu verlieren. Sie schauen ihn an wie einen, dem nicht zu helfen ist. Während sie gegen die Wand zurückweichen, treten sie einander auf die Zehen. Er verfolgt jede ihrer Bewegungen mit einer eigenen Bewegung. Ohne es zu wissen, flüstert er plötzlich. Er tastet mit der freien Hand hinter sich nach der Klinke. Seine Verzweiflung ist daran zu erkennen, wie er die Waffe hält. »Ich war es, ich war es, ich war es!«

Alles bleibt an seinem unsinnigen Platz. Zuerst ist dem Entlarvten die Entdeckung in der Gesellschaft peinlich gewesen. Er bewegt sich im voraus heftig, um die Bewegungen dann nachwirken zu lassen. »Ich konnte nicht anders als sie zu töten!« *In der Regel hat der Entlarvte eine schwere Jugend gehabt.* »Auf der Flucht habe ich den Handschuh verloren!« Seine Ungeschicklichkeit ist ungefährlich, solange er auf dem Erdboden steht. Mit den Gläsern in der Hand können sie die Arme nicht gut heben. Das Kind bewegt sich unter dem Spielraum der Waffe. Der Geruch ist unverkennbar. Niemand hat sich bis jetzt an den Ernst der Situation gewöhnt. Der Schrecken hat sie fühllos gemacht. Etwas in seinen Augen schläft ein. »Ich bin vor einem Toten davongelaufen!« Er läßt alle die Schuhe ausziehen. Er setzt sich den Hut verwegen auf den Kopf. Sie schauen ihn wortlos an. Als der erste Griff den erwarteten Gegenstand nicht an seinem Platz findet, *schnappt* der zweite Griff schon. Plötzlich hören sie ihn atmen. Er öffnet nutzlos den Mund. Nach dem Anruf erstarrt er mitten in der Bewegung.

Der Hausierer wirft sich zur Seite. Die Waffe poltert zu Boden. »Es ist aus mit Ihnen!« Sie haben sich müde gespielt.
Inzwischen ist das Essen kalt geworden. Das ist die Stimme des Mörders! Der Entlarvte kann keinen Schritt zurück tun. Die Spaziergänger erschrecken über den Gegensatz zwischen dem unbeweglichen Mauervorsprung und der jähen Bewegung der Gestalt, die hinter dem Vorsprung hervorläuft. Als er mit den zu trockenen Fingerspitzen über die zu trockenen Handballen streicht, schaudert der ganze Körper. Der Hausierer schlägt ihm beinahe gleichgültig das Messer aus der Hand. Der Entlarvte kann die schmerzende Stelle nicht in Ruhe lassen. *Einen Augenblick lang ist die Gefahr, daß sie alle die Geschichte nicht ernst nehmen.* Er wird redselig. Er könnte die sich schließende Tür jetzt noch erreichen, und auch jetzt noch, und auch jetzt noch, und auch jetzt noch, aber jetzt ist es zu spät. Er lächelt ablenkend. Unter dem Sofa schauen die nackten Füße hervor. Jeder erwartet, daß noch etwas geschieht. Das Lid des Kindes zuckt seltener als das der Erwachsenen. Er tänzelt vor Verlegenheit. »Zuerst wendet er sich der Schreckquelle zu und dann von ihr ab.« Ein Fensterflügel steht herausfordernd weit offen.
Er setzt zu Bewegungen an, als wollte er sich abtasten. Er nagt an der Unterlippe. Vielleicht ist die Bedrohung nur der Versuch einer Bedrohung. Die Augen drehen sich mit der Drehung des Kopfes. Das Surren ist das Surren eines Filmapparates. »Bleiben Sie, wo Sie sind!«
Sie gehen im Laufschritt auf ihn zu.
Als er springt, glaubt er, er springe aus dem ersten Stock, während er in Wirklichkeit aus dem Erdgeschoß springt.
Und das alles, nur weil ihm im entscheidenden Augenblick nicht das richtige Wort eingefallen ist!
Der Motor läuft schon, alles ist fluchtbereit.
Als er die Menge beiseite stößt, erregt er Unwillen. Es sieht so aus, als ob die beiden einander zum Spaß hetzen. Jeder zeigt in eine andere Richtung. »Lassen Sie mich durch!« Warum schießt niemand? Der Versteckte hört, wie die Suchenden sich *unterhalten* und *lachen*. Welche Erregung, als er die Wahrheit gesagt hat! Er steht in der Mitte zwischen zweien, die einander zurufen. Dem Auto fehlt der linke Scheinwerfer. Als er fragt, narren ihn überall die Kinder. Im Lauf erscheinen ihm die stetig wechselnden Bilder wie im Schlaf. Sie hat sich so schön bewegt! Man schaut ihnen

mißbilligend nach. Die Brieftasche fällt erschreckend schwer in seinen Mantel. Dem Flüchtenden läuft die Nase. Und das wollen erwachsene Menschen sein! An der Mauer steht lauernd eine Gestalt. Er wird nicht weit kommen.

Er hat sich zu früh bewegt. Als er aus dem Versteck tritt, sieht ihm zuerst niemand an, daß *er* der Versteckte war. Er ist quer durch das Zimmer gegangen. Der Zaun ist zu hoch.

Es *regnet,* also kann ihm nichts geschehen.

Wie wenn er sich nicht mehr bedroht fühlt, zieht er den Rock über die Schultern. Er weiß nicht, wohin er gegen den Schmerz die Hand halten soll.

Er hat *Durst,* also kann ihm nichts geschehen.

Er versteckt die Hände. Jemand mit einem blutenden Arm läuft an ihm vorbei. Plötzlich entsteht ein dichtes Gedränge.

Es wird *später,* also kann ihm nichts geschehen.

Nur *eine* Bewegung zielt auf ihn. Die Hand wird schrecklich groß. »Ich sterbe.« Er macht einen Grätschsprung. Er hebt die linke Schulter. Er erschreckt durch seinen Schrecken ein Tier! Er dreht sich im Laufen immerzu um die eigene Achse. Er hat niemandem etwas tun wollen.

Er reißt die Arme empor. Die Furcht erscheint ihm jetzt sinnlos.

Er hat *Schmerzen,* also kann ihm nichts geschehen.

Als er stirbt, ist er für die Zuschauer längst gestorben.

Die Dazukommenden erkennen ihn schon nicht mehr. Auf einmal wird jeder Vorgang unaufhörlich. Er möchte die ganze Welt mit sich in den Tod nehmen. Alles läuft streng geregelt ab. Er verkriecht sich in einen nichtvorhandenen Winkel. Ohne seinen Willen hebt er den Kopf. Der Papiersack will nicht von seinen Füßen. Eine waagrechte Mauer! Es bleibt ihm nicht mehr die Zeit, persönlich zu werden. Jemand bietet ihm einen Stuhl an. Mit aller Gewalt versucht er noch einmal den Atem einzuziehen. Sterbend stellt er sich tot. Man spricht schon *über* ihn. Er kratzt! Er stirbt, wie wenn sich beim Gehen allmählich die Schuhbänder lockern. Wenn es geschneit hätte, hat es jetzt aufgehört zu schneien.

12 Die endgültige Wiederkehr der Ordnung

Wenn es den Fall nicht mehr gibt, kehrt die Mordgeschichte in die Wirklichkeit zurück. Um eine Andeutung von der Wirklichkeit zu geben, wird diese noch einmal in ihrer Alltäglichkeit aufgezählt. Es wird gezeigt, daß sie keine Geschichte mehr hergibt. Alles ist in Ordnung, und wenn etwas nicht in Ordnung ist, wird es jedenfalls nicht mehr beschrieben. Die Ablenkung durch den Mord ist jetzt beseitigt. Alles befindet sich wieder an seinem Platz oder bewegt sich in seine Richtung. Der Mord, kaum geklärt, ist schon so lange her, daß er gar nicht mehr wahr ist:

Die Kinder spielen schon den Mord.